Dar gracias a la vida

Dr. John F. Demartini

Dar gracias a la vida

El poder inagotable de la gratitud y el amor

EDICIONES URANO
Argentina - Chile - Colombia - España
México - Venezuela

Título original: *Count Your Blessings*
Editor original: Element Books, Inc., Massachusetts
Traducción: Amelia Brito A.

© 1997 *by* Element Books, Inc.,
© de la traducción 1997 *by* Amelia Brito A.
© 1997 *by* Ediciones Urano, S. A.
 Aribau, 142, Pral. - 08036 Barcelona
 info@edicionesurano.com

ISBN: 84-7953-193-2
Depósito legal: B. 44.342-97

Fotocomposición: Alejo Torres - C. de Sants, 168 - 08028 Barcelona
Impreso por Romanyà Valls, S. A. - Verdaguer, 1 - 08786 Capellades (Barcelona)

Impreso en España - *Printed in Spain*

Índice

Dedicatoria

Dedico este libro a todas las personas que querrían
sanar sus mentes, cuerpos y vida mediante el poder de
la gratitud y el amor incondicional.

Prólogo

No sé lo que el mundo puede opinar de mí, pero a mi entender sólo
he sido como el niño que juega en la playa y se divierte de tanto en
tanto encontrando una piedra más lisa o una concha más bella de lo
normal mientras el gran océano de la verdad se extiende ante él
totalmente sin descubrir.

Isaac Newton

De pequeño, mis padres me alentaban a dar las gracias por mi salud, mi vida y todas las maravillas del mundo. Me recomendaban descubrir todo lo bueno de mi vida, lo que con el tiempo me llevó a convertir esta práctica en algo cotidiano. Cuando comencé a estudiar y después a practicar los principios de la curación en mi actividad profesional, comprobé que existe un fuerte vínculo entre la gratitud, el amor y la curación. Por eso hace ya más de quince años que comencé a centrar mis estudios en este campo y cada uno de los principios que voy descubriendo continúan inspirándome.

Cada nueva relación que se me desvela entre la gratitud, el amor y la curación es como una refulgente estrella de luz, un guijarro perfecto en la corriente de la conciencia. Y cada día despierto con una nueva expectativa, con la sensación de que podría descubrir otro principio de la salud, otro estimulante caso de curación, para podérselo relatar a otras personas. Estas experiencias me llevaron a fundar la Escuela Confluencia de Sabiduría [Concourse of Wisdom], de Filosofía y Curación, así como a idear el *Collapse Process* [Proceso de Colapso] y a escribir este libro.

Los numerosos principios e historias de los que puedo hacerte partícipe sentarán los cimientos para otorgarte una vida sana y plena, sólo con aprovechar el poder de la gratitud y el amor. Cuando se aplican estos principios se cosechan los beneficios de sanar la mente y el cuerpo, siguiendo la sabiduría del corazón y el alma y experimentando la fuerza más poderosa que existe, el poder de la gratitud y el amor.

Cada principio y cada historia te van a servir para dar otro paso hacia la curación de esos problemas de tu vida que te gustaría sanar, y para dar saltos cuánticos en tu desarrollo personal y espiritual en tu viaje único y especial.

Gracias

Dr. John F. Demartini

1

La gratitud y el amor son el alma de la curación

Los milagros no ocurren en contradicción con la naturaleza sino en contradicción con lo que sabemos de la naturaleza.

San Agustín

¿Tenemos el valor de sanar?

Todos tenemos en el interior el poder sanador del amor incondicional, pero a veces creemos, por equivocación, que no podemos sanar. Cuando estamos enfermos nos resulta fácil hacer caso a nuestros miedos, y caer en la tentación de recurrir solamente a remedios físicos y tangibles que se pueden ver y tocar. Pero si realmente queremos experimentar una curación más completa y duradera, lo que tenemos que hacer es dar un paso más allá de lo que simplemente podemos ver y tocar y prestar oído a la sabiduría de nuestro corazón y nuestra alma.

Esta sabiduría interior, que se expresa mediante la gratitud y el amor incondicional, es la energía sanadora más potente y pura que existe, ya que no hay ningún trastorno o enfermedad que no pueda sanar. Así pues, a partir de ahora podemos definir «incurable» por «sólo curable desde el interior». Y cuando agradecemos lo que es, tal y como es, nuestros corazones se abren y nos hablan con mensajes sanadores. Esos son los momentos cuando oímos interiormente la orientación de nuestro corazón y nuestra alma. Ser agradecido y abrir el corazón al amor incondicional es la esencia de la curación.

Esta misma esencia produce la curación espontánea, que algunas personas califican de milagro, cuando intensificamos su poder estando totalmente presentes y teniendo la absoluta certeza de que es posible; que se puede producir la curación. Los sanadores más inspirados saben que el poder que hizo el cuerpo también puede curarlo y es esa certeza la que transmiten a sus pacientes. También saben que muchas veces las fuerzas internas han sanado trastornos y enfermedades considerados incurables o terminales, simplemente porque no había un remedio o no existía una cura tradicional conocida. Por lo tanto, cuando nos limitamos a tratamientos y remedios físicos no cosechamos los beneficios de la fuente ilimitada de curación que llevamos dentro.

Agradezco la oportunidad que tengo de relatar las historias de curación de otras personas ya que nos servirán de recordatorio de lo que verdaderamente es posible. Creer que podemos ponernos bien es una parte fundamental del proceso de curación. A veces las personas obstaculizan el poder sanador del amor incondicional cuando piensan que no se merecen sanar, o cuando se aferran a la rabia o a otras emociones desequilibradas. Por ejemplo, Angie, ex paciente mía de quiropráctica, vino a verme debido a una lesión en el cuello y espalda producida por un accidente de coche. Era gimnasta e iba de camino a una exhibición cuando una camioneta chocó contra el lado del pasajero de su coche. A pesar de haber permanecido varios días hospitalizada y llevar dos semanas descansando en casa, no había notado ninguna mejoría.

—No he recuperado la flexibilidad. Todavía no puedo volver la cabeza y siento la espalda rígida como si fuera un trozo de madera.

Le pedí que me explicara cómo se produjo el accidente y ella comenzó a relatar el incidente tal y como lo recordaba. Poco a poco fue elevando el volumen de la voz y empezó a hablar más rápido, con el rostro encendido por la emoción. Me dijo que estaba furiosa y que temía perderse meses de competiciones y actuaciones.

—¿Por qué me ha tenido que pasar esto?

Me di cuenta que a medida que seguía hablando se le iba poniendo aún más rígido el cuerpo y comprendí que podría estar obstaculizando su curación con esa rabia e ingratitud. Le expliqué que si equilibraba sus emociones respecto al accidente abriría el corazón y comenzaría a beneficiarse de la esencia sanadora del amor incondicional.

—¿Qué quiere decir con eso de equilibrar mis emociones? —me preguntó—. No puedo evitar sentir lo que siento.

Le expliqué que nuestras emociones se originan en nuestras percepciones. El hecho de que seamos capaces de cambiar de opinión evidencia que también podemos cambiar nuestras percepciones y la forma de sentir acerca de las cosas.

—De acuerdo, pero ¿qué tiene que ver eso con sanar el cuello para poder participar de nuevo en las exhibiciones?

Le expliqué que la rabia que sentía por culpa de la lesión

podría estar obstaculizándole la curación y que si equilibraba sus percepciones sería capaz de reemplazar la rabia por gratitud y por el poder sanador del amor incondicional. Reconoció que valdría la pena intentarlo y me dijo que volvería al día siguiente.

Cuando llegó, le expliqué mi método del *Collapse Process*, que ideé con el fin de contribuir a equilibrar las percepciones y de conectar con el amor incondicional. Durante las horas siguientes, Angie trabajó en equilibrar sus percepciones sobre el choque, el conductor de la camioneta y su lesión. Finalmente, descubrió que había un número igual de negativos y positivos con relación al accidente, al otro conductor e incluso a su lesión. Se dio cuenta de que ella también le había hecho a otras personas lo mismo de lo que acusaba al conductor, y comprendió que lo mejor sería dejar de acusar para comenzar a sanar.

Cuando terminó el último paso del *Collapse Process*, me miró con lágrimas en los ojos y dijo:

—¡Caramba! Sí que puedo influir en lo que siento —exclamó—. Acusar no sirve de nada. En estos momentos me siento realmente agradecida por estar viva.

Le pedí que entrara en la sala de masajes y se concentrara en su gratitud y en imaginar la flexibilidad que estaba segura de recuperar. Después de hacerle el masaje de ajuste, le pedí que continuara relajada durante un momento para sentir cómo el amor incondicional le mejoraba el cuello y la espalda. Cuando se incorporó y después se puso de pie, vi que ya había recuperado parte de su flexibilidad. Y ella así me lo confirmó:

—Ya puedo volver un poco la cabeza —dijo con una amplia sonrisa.

Reforcé su proceso de curación interior con unas cuantas sesiones de ajuste más y justo un mes después de haber terminado el *Collapse Process* ganó una competición gimnástica con un ejercicio que realizó en la barra de equilibrio.

Toda curación completa se activa a través del amor y la gratitud

El amor cura a quien lo recibe y a quien lo da.

Karl A. Menninger

- El amor incondicional cura.
- La gratitud sincera libera amor incondicional.
- El poder que hizo el cuerpo también puede curarlo.
- Hagan lo que hagan los sanadores o terapeutas, sólo apoyan el proceso de curación natural o inherente a la persona.

La enfermedad y el sufrimiento operan en realidad como bendiciones ocultas porque destrozan la complacencia propia de las ficciones que nos hemos creado respecto a nuestra vida y nos obligan a estar presentes en ella. A veces una lesión o enfermedad nos despierta el amor por la vida. Pocas situaciones nos inducen tanto a revisar nuestra vida como hallarnos en peligro de muerte. Muchas personas, y entre ellas nuestros seres queridos, realmente comienzan a vivir y a valorar la vida el día que les diagnostican una enfermedad grave.

Eso fue lo que le ocurrió a Josephine, una mujer encantadora que me contó su estimulante historia hace unos años. Tenía 77 años cuando la conocí y hoy sigue siendo una de las personas más vitales que conozco. Es tal su amor y vitalidad que los ojos le brillan y da la impresión de que resplandece. Su historia comenzó cuando se acercaba a los sesenta años. Los médicos le diagnosticaron un tumor cerebral maligno y le propusieron intervenirla unos días después. Entretanto, la enviaron a casa y le recomendaron descanso. Ella cuenta:

Esos tres días fueron los peores y al mismo tiempo los mejores de mi vida. Me sentaba en la mecedora del porche de atrás para oír cantar a los pájaros y repasar mi vida. Sabía que de alguna manera mis frecuentes sentimientos de rabia y frustración y todas las veces que había tenido un comportamiento poco amable tenían que ver con lo que ahora me pasaba. Reía y lloraba, y comprendí que los acontecimientos de mi vida que en el momento en que sucedieron me parecieron tan terribles, muchas veces habían sido beneficiosos para mí. Y así es como se me ocurrió pensar que tal vez, eso mismo sucedería con mi tumor.

Llamó a sus familiares y les pidió que la vinieran a ver. Mientras los esperaba, les escribió una carta a cada uno agradeciéndoles todo el amor que le habían demostrado, todos los atentos favores y los muchos regalos que le habían hecho a lo largo de los años. Ellos llegaron un día antes de la operación. Por la mañana, la acompañaron al hospital, se quedaron con ella y le contaron historias y rieron hasta que se acabó la hora de las visitas.

Cuando se hubieron marchado, ella se quedó contemplando las estrellas por la ventana y comenzó a agradecer todo lo bueno que había en su vida. Se sintió tan llena de amor que comenzaron a rodarle lágrimas de gratitud por las mejillas. Recuerda:

Me sentí totalmente inmersa en el amor, con una paz interior absoluta. Entonces, me pareció ver una luz detrás de mí y me volví para ver qué era; vi algo que me pareció una hermosa joven con el pelo suelto que me sonreía e irradiaba luz. Me dijo que era un ángel, que había sentido mi amor y venía a asegurarme que todo iría bien; todavía me quedaba muchísimo tiempo para cumplir mi finalidad en la vida. Y añadió: «Recuerda siempre que fue tu amor y agradecimiento lo que te trajo la curación, Josephine. Eres bendecida». Cuando me abrazó cerré los ojos, y cuando volví a abrirlos ya había desaparecido.

Josephine se pasó el resto de la noche totalmente despierta, pensando en lo que le había sucedido y preguntándose cuál sería la finalidad de su vida. Después de meditar un rato sobre lo que realmente le gustaría hacer, comprendió que deseaba ser orientadora o terapeuta, y decidió que empezaría por enviar solicitudes a institutos para hacer realidad su sueño.

Por la mañana, cuando llegaron sus hijos, les dijo que ya no necesitaba operarse y les pidió que la llevaran a casa. El médico le recomendó encarecidamente que no se marchara y que se sometiera a la operación, pero ella insistió. Le prometió que volvería dentro de unos meses para hacerse otro examen y que lo llamaría si tenía algún problema. Y así lo hizo, aunque para entonces ya había recuperado su energía y vitalidad, y cuando los exámenes revelaron que el tumor, que era un poco más pequeño que una pelota de golf, había desaparecido milagrosamente, su médico y su familia lo celebraron con entusiasmo.

La certeza y la presencia intensifican la curación

La persona que dice «no se puede hacer», no debe interrumpir a la que lo está haciendo.

Proverbio chino

- Ten la seguridad de que vas a sanar.
- Imagínate haciendo lo que te gusta hacer y cree que volverás a hacer esas cosas cuando estés bien.
- Llena el corazón con tantos pensamientos de gratitud que no quede espacio para la preocupación ni el miedo.
- Se testigo de la energía sanadora del amor incondicional.

Tener la certeza de que se va a sanar, y ser testigo de la orientación del corazón y del alma pueden estimular el proceso de curación. Las dudas y los temores nos desconectan de nuestra sabiduría interior y obstruyen la circulación de la energía, pero agradecer lo que es, tal y como es, acelera e intensifica la curación.

Hace unos años se me concedió la oportunidad de atender a un bailarín llamado Michael, que estaba paralizado del cuello para abajo a consecuencia de una lesión. Antes de que sufriera esa lesión yo le había tratado unos cuantos esguinces y torceduras sin importancia. Su ilusión era llegar a bailar en producciones de Broadway, por lo que la parálisis lo había aniquilado. Todavía podía mover la cabeza y los brazos, pero estaba convencido de que jamás podría volver a caminar, como ya le habían dicho. Así, perdido el interés por tratar de mejorar, estaba comenzando a perder la capacidad de hablar con claridad. La verdad es que tenía roto el cuerpo y el corazón.

Cuando llegó a mi consulta sentado en su silla de ruedas tenía la cabeza tan inclinada que no pudo levantarla para mirarme. Comprendí que ya casi había renunciado a la lucha, de modo que me incliné, le cogí las manos, lo miré a los ojos y le dije:

Michael, si pierdes la ilusión vas a perder el deseo de vivir y es posible que nunca puedas volver a levantarte de esta silla de ruedas.

Tienes que ver la luz al otro lado del túnel. Debes ser capaz de comprender que vas a volver a caminar. Tienes que verte bailando. Tienes que verte sobre el escenario, Michael. Tienes que verte curado. Tienes que imaginártelo. Si no tu fisiología no podrá crearlo. Aunque te parezca imposible en este momento, tienes que ver lo imposible convertido en realidad.

Se echó a llorar.

—Lo único que deseo es caminar —me dijo—. Sólo quiero ser capaz de caminar. ¿Por qué tengo que pasar por esto?

—Esto es un regalo —le dije—, y mientras no lo consideres así, te frenará. No existe ninguna crisis sin bendición; no existe ningún trastorno sin regalo.

Le di un vídeo especial y le dije que lo pusiera todas las veces que fuera necesario hasta que viera la luz al final del túnel; hasta que se viera caminando y bailando.

—Tienes que tener en la imaginación una realidad virtual que sea superior a tu realidad física.

Se echó a llorar y me colocó el brazo en el hombro; me acercó a él y nos abrazamos. En ese momento vio luz al final del túnel.

—Voy a volver a caminar —me dijo con lágrimas en los ojos.

El vídeo que le di era sobre Morris Goodman, el llamado «hombre milagro». Después de un accidente de avión en el que se rompió casi todos los huesos del cuerpo, incluido el cráneo, y que lo dejó paralítico, finalmente aprendió a caminar de nuevo. Su historia de curación es una de las más inspiradoras que conozco.

Cuando lo llevaron al hospital nadie creía que fuera a vivir. Pero lo hizo. Aunque se hallaba en estado de coma, Morris continuó vivo. Sus familiares que sabían que le encantaba Zig Zigler y conocían su filosofía de vida, le pusieron un radiocasete al lado con las cintas de Zigler y sus mensajes repetidos una y otra vez. Cuando lo conocí, me contó que mientras estaba en coma se hallaba consciente y que podía oír las cintas. Decidió concentrarse en abrir y cerrar un párpado y mover uno de los dedos. Se pasó tres semanas visualizándose haciendo eso, y entonces, un día logró abrir y cerrar el párpado cuando estaba la enfermera en la habitación; ella lo vio. Al día siguiente movió el dedo y la enfermera también lo vio. Lo que deseaba era comunicarse para que los médicos y sus familiares no lo consideraran un caso perdido. En los meses siguientes comenzó a funcionarle el cuerpo y finalmente salió del hospital por su propio pie.

Le dije a Michael que viera ese documental sobre el hombre milagro una y otra vez entre sesión y sesión de ajuste. Lo hizo durante tres meses, y aun así siguieron sin producirse cambios importantes. A estas alturas, incluso a mí estaba empezando a resultarme difícil conservar la actitud de esperanza y la certeza de que sanaría, ya que no veía ningún progreso. Entonces un día, cuando entré a hacerle la sesión de ajuste sentí el deseo de trabajarle el cuello. Lo tenía sujeto con alambres y tornillos, pero la voz de mi intuición e inspiración me dijo que iría bien trabajar esa zona. Me di cuenta de que me había dejado refrenar por el miedo. Así pues, hice caso de mi voz interior y le ajusté el cuello. Esa noche pudo mover los dedos de los pies.

Me prometí que a partir de ese momento escucharía y obedecería la voz de mi alma y corazón cuando me hablara.

Continué las sesiones de ajuste y, día a día, poco a poco fue mejorando. En menos de un año pudo ponerse de pie y mantener el equilibrio. Él se mantuvo fiel a sus sueños, concentrado en la luz del final del túnel y así un lunes, cuando me vio en la sala de recepción, se levantó, anduvo dos pasos y fue a caer en mis brazos. En unos pocos años logró dejar su silla de ruedas y bailar en su propia fiesta.

La verdad es...

Toda verdad pasa primero por tres fases antes de ser reconocida. En la primera se la ridiculiza; en la segunda se combate, y en la tercera se considera evidente.

Arthur Schopenhauer

- El poder que hizo el cuerpo puede sanarlo.
- Incurable significa curable desde dentro.
- La gratitud y el amor incondicional activan una curación más completa y profunda.
- La certeza y la presencia intensifican la energía sanadora del amor incondicional.
- No existe energía sanadora más potente que el amor incondicional.

Reflexiones

Las fuerzas naturales interiores son las verdaderas sanadoras de la enfermedad.

Hipócrates

1. Cierra los ojos y visualiza el trastorno o enfermedad que deseas sanar.
2. Piensa en todas las formas en que ese trastorno o enfermedad te ha beneficiado o te beneficia.
3. Visualiza la energía del amor incondicional llenando todas las células de tu cuerpo y sanando del todo.
4. Ten la certeza de que vas a sanar.

Realizaciones

Porque no hay nada imposible para Dios.

Lucas 1:37

1. Escribe el trastorno o enfermedad del que querrías sanar.
2. A continuación, en una columna escribe todo lo malo o los perjuicios que te causa ese trastorno y en otra un número igual de formas en que ese trastorno o enfermedad te sirve o te beneficia.
3. Haz una lista de las cosas que planeas hacer cuando estés sano.
4. Escríbete una carta de agradecimiento por ver el equilibrio en tu situación o enfermedad. Vuélvete humilde y abre tu corazón a la esencia sanadora de la gratitud y al amor incondicional.

Afirmaciones

- Agradezco mi situación o enfermedad tal como es.
- Abro mi corazón a la esencia sanadora del amor incondicional.
- Estoy agradecido/a y seguro/a de que voy a sanar.
- Estoy sanando mi cuerpo y mi mente.

2

Agradecer los sufrimientos

Todo lo que he visto me enseña a confiar en el creador de todo lo que no he visto.

Ralph Waldo Emerson

¿Vemos todo lo bueno que nos ofrece un sufrimiento?

El hecho de que no veamos lo bueno que nos ofrece el sufrimiento no significa que no exista. Los acontecimientos y circunstancias de la vida que más nos hacen sufrir son también los que nos ofrecen las mejores oportunidades para experimentar la maravilla del amor incondicional y la perfección del Universo. Y la verdad es que no existe eso que se llama desconsuelo. La emoción que llamamos desconsuelo sólo es la consecuencia del vacío imaginario y el resentimiento que tenemos cuando se nos desmorona una ilusión engañosa, o cuando creemos que hemos perdido algo o a alguien. Estas ilusiones desequilibradas nos pueden hacer enfermar si no las equilibramos con la gratitud y el amor incondicional.

Si uno se aferra a la ilusión de que una persona a la que se ama va a estar siempre presente físicamente en su vida, es posible que lo pase muy mal cuando ésta se marche, ya sea porque se rompa la relación o porque pase el umbral llamado muerte. Sin embargo, cuando abrimos el corazón a lo bueno que aporta esa experiencia podemos beneficiarnos de todas las transiciones y transformaciones que ocurren en nuestra vida. Recordemos que cada uno es el amo de su destino y el capitán de su alma.

En nuestro viaje por la vida, cuando aceptamos los desafíos de las experiencias difíciles, el amor disuelve nuestras ilusiones engañosas y nos da más fuerza. Nunca me olvidaré de un hombre que vino a mi consulta en pleno proceso de separación; llevaba casado 23 años. Era tanto lo que sufría que tenía dificultades para llevar una vida normal. «Encuentro increíble que mi mujer me deje después de tantos años», me dijo. «¿Qué voy a hacer ahora solo el resto de mi vida?». William estaba experimentando el desmoronamiento de su ilusión, según la cual Marge sería siempre una presencia física en su vida. Se sentía deprimido y abatido, y tenía la energía muy baja. Durante una hora más o menos estuve ayudándole a comprender que, con respecto a lo de su divorcio, no todo era tan malo, y él comenzó a reconocer que había pasado por alto algunos beneficios, como por ejemplo el de poder jugar al golf siempre que quisiera y salir por la noche hasta tarde sin tener que llamarla para pedirle su aprobación. Una vez que vio estas dos ventajas comenzó a ver muchísimas otras, y no tardó en descubrir 53 cosas positivas donde antes sólo veía un corazón roto.

Las ilusiones rotas son bendiciones

Ver claramente el propio drama es liberarse de él.

Ken Keyes, hijo

- Las ilusiones obstruyen el camino hacia la verdad.
- El amor incondicional es la esencia de toda verdad.
- Cuando el corazón está abierto, no «falta» nadie.
- Toda ilusión rota revela un beneficio.

Cada vez que se nos rompe una ilusión tenemos la ocasión de experimentar una verdad. Cuando nos reservamos el juicio sobre una persona o situación, expresamos la certeza de que los beneficios son iguales a los perjuicios, aunque aún no hayamos visto el equilibrio perfecto. Pero si pensamos que una persona o una situación es más «mala» que «buena» o más «buena» que «mala», obstaculizamos la verdad con esa opinión sesgada.

El sufrimiento emocional y la enfermedad física que se puede experimentar cuando una persona se marcha físicamente de nuestra vida suele intensificarse por la idea errónea de que esa persona tiene algo que nosotros no tenemos. Pero lo cierto es que ese «algo especial» sí que lo tenemos en nuestro interior, y que lo más importante es descubrirlo.

Sheila sufrió muchísimo cuando murió su padre. Tenían una relación muy estrecha y le pareció que una parte de ella se había marchado con él. Le expliqué que la verdadera esencia de su padre estaba ahora tan presente como cuando se hallaba en su cuerpo físico.

—El hecho de que no puedas verle ni tocarle no significa que ya no exista. —Su mirada de confusión me indujo a seguir explicándole—: Sheila, nada ni nadie puede ser del todo destruido. Cuando calientas un cubito de hielo se convierte en agua, y si continúas calentando esa agua se convertirá en vapor. La esencia del cubo de hielo permanece, sólo ha cambiado la forma.

—Pero eso no me sirve de nada cuando deseo hablar con él, doctor Demartini —sollozó—. No logro hacerme la idea de que nunca más volveré a estar a su lado.

—Sheila, ¿qué fue lo que te dijo tu padre ese día en que llorabas por la muerte de una de tus amigas?

Ella sonrió.

—Cuando mi mejor amiga Ellen murió de cáncer hace unos años, él me puso las manos en los hombros, me miró a los ojos y me dijo: «Sheila, creo que te he enseñado que cuando Dios recibe a un nuevo ángel, todo el mundo es bendecido».

Le expliqué que nada le impedía continuar hablando con su padre ni seguir oyendo sus respuestas en su mente.

—Creo que ahora lo comprendo —me dijo—, pero, ¿qué puedo hacer para dejar de echarlo tanto de menos?

Yo sabía que cuando sintiera verdadera gratitud por las lecciones y bendiciones que la muerte de su padre le habían proporcionado, su corazón se abriría al amor incondicional e inmediatamente sentiría también el amor de su padre. Paso a paso la conduje por el *Collapse Process*, y paso a paso ella comenzó a agradecer las bendiciones de su sufrimiento. Cuando acabó el proceso, sintió la presencia de su padre y le agradeció haber sido una parte tan importante de su vida. Después me agradeció a mí la oportunidad de experimentar el amor de un modo tan profundo, y me dijo que la consolaba saber que la muerte es sólo una transformación y que su padre continuaba estando con ella.

Toda alegría tiene su pena; toda pena tiene su alegría

La alegría es la pena sin máscara. Y el mismo pozo de donde brota la
risa suele a veces llenarse de nuestras lágrimas.

Kahlil Gibran

- Las circunstancias se pueden comparar con piedras; las podemos usar para construir o para que nos arrastren hacia abajo.
- Cada prueba es una puerta en potencia hacia el amor incondicional.
- La alegría y la pena nos impulsan a crecer y a expandirnos hacia una mayor esfera concéntrica de influencia, responsabilidad y gratificación.
- Los sufrimientos afectivos son oportunidades para aprender a amar.

Todas las penas, incluso las más profundas y negras, contienen una cantidad igual de alegría; cuanto antes la descubrimos, antes la experimentamos. Toda lección que recibimos es una oportunidad para experimentar un nuevo grado de amor incondicional. Si aceptamos la lección despejamos el camino para que el bien que conlleva se manifieste. Pero muchas veces, cuando la rechazamos, nos quedamos atascados en el ciclo de ingratitud y obstaculizamos el amor y la verdad que intentan circular por nuestra vida.

Recuerdo cómo resplandeció con la luz del amor Mónica cuando logró desprenderse de su ira y pena por la muerte de su hijo y abrazarlo con amor incondicional. El día que asistió a mi programa de crecimiento y éxito personal, la Experiencia Descubrimiento [The Breakthrough Experience], sólo hacía unos meses que su hijo Lenny de diez años había muerto, víctima de una bala perdida en un tiroteo. Al comenzar la sesión se presentó y dijo: «Me llamo Mónica y he venido porque deseo sanar mi corazón roto».

Explicó que le resultaba muy difícil superar todos los aspectos de la muerte de Lenny, pero que lo que más le dolía era lo estúpido e inútil que encontraba todo. «¿Por qué tuvo que morir mi hijo por nada?». Le dije que si bien no siempre es posible ver la perfección y equilibrio de una situación, estas dos cuestiones están ahí, a la espera de que las descubramos y amemos.

Ese día por la tarde, cuando comenzamos el *Collapse Process*, Mónica se sorprendió de ver cuántas cosas buenas habían surgido a raíz de la muerte de Lenny. Se había organizado en el barrio un programa de vigilancia contra la delincuencia con grupos de voluntarios, y aumentado la vigilancia policial en la zona. Además, se estaban recogiendo donativos para construir un campo de baloncesto en el parque en memoria de su hijo. También había recibido tarjetas, oraciones, aliento y apoyo de personas a las que ni siquiera conocía. Una tarjeta en particular la había conmovido profundamente; era de una madre que tenía cinco hijos. La sacó del bolsillo y la leyó en voz alta:

Querida Mónica:

Me enteré de la muerte de tu hijo en las noticias de la noche. Con lágrimas en los ojos de pensar en lo que debes de estar sufriendo, me di cuenta de que hacía tiempo que no abrazaba a cada uno de mis hijos ni les decía cuánto los quiero. Agradezco el mensaje de amor que la muerte de tu hijo nos ha enviado a mí y a cientos de otros padres y madres como yo. Gracias.

Cuando acabó el *Collapse Process*, Mónica fue capaz de agradecer las bendiciones que contenían la vida y la muerte de su hijo.

—Con todo lo que me ha costado y dolido llegar a este momento de comprensión —dijo—, el dolor que he sufrido vale los diez años de amor que pude compartir con mi hijo. Ahora él es mi hijo ángel y siento su amor con cada latido de mi corazón.

La verdad es...

No puede haber día sin noche, alegría sin pena ni primavera sin invierno.

Zula Bennington Greene

- El verdadero ser o alma ama y agradece lo que es, tal como es.
- Uno de los mayores regalos es el deseo de amar y ser amado.
- Estamos aquí para amar y ser amados, no para «tener razón».
- La pena nos enseña que aún no hemos aprendido a amar.

Reflexiones

Lo que fue difícil de soportar puede ser agradable de recordar.

Proverbio occidental

1. Recuerda alguna ilusión rota que hayas experimentado.
2. Dedica un momento a pensar en los beneficios que resultaron de esa ilusión rota.

3. Piensa en alguna situación que te produjo sufrimiento.
4. Piensa en al menos tres alegrías que se derivaron de ese sufrimiento.

Realizaciones

La mente es muy suya, y de suyo puede hacer un cielo del infierno y un infierno del cielo.

John Milton

1. Coge una hoja de papel y escribe el nombre o las iniciales de la persona por la cual tienes el «corazón roto».
2. Haz una lista de veinte cosas positivas y veinte negativas relacionadas con esa persona y con tu percepción de haberla «perdido».
3. Escríbele una carta agradeciéndole los beneficios de tu experiencia.
4. Escribe en tu diario, o una carta de agradecimiento a una persona querida expresándole tu amor y gratitud por la perfección y magnificencia de tu vida y del Universo.

Afirmaciones

- Mi voz interior equilibra mi percepción del sufrimiento e ilumina mi corazón con amor, sabiduría y poder.
- Rompo mis ilusiones engañosas y experimento los bienes de la verdad sanadora.
- Agradezco las lecciones y todo lo bueno que resulta de mis penas.
- Sano mis ilusiones rotas con gratitud y amor.

3

Hacer lo que nos gusta y amar lo que hacemos

Jamás se nos da un deseo sin darnos también la capacidad para hacerlo realidad. Pero hay que trabajar por él, eso sí.

Richard Bach

La «depre» de los lunes por la mañana

Es increíble el número de personas que comienzan el día no con entusiasmo sino con resignación, depresión e incluso desesperación. Suena el despertador y en lugar de saltar de la cama llenas de gratitud por empezar a vivir otro día, se hunden en la desesperación al ver que les espera un día lleno de quehaceres etiquetados «deberes», y que ninguno de ellos es algo que les guste hacer.

Las estadísticas revelan que es tal el abatimiento que sienten muchas personas por tener que levantarse y hacer frente a los quehaceres y responsabilidades diarias, que los ataques al corazón se producen más a las siete de la mañana de los lunes que en cualquier otro momento de la semana, por lo que se los podría llamar «ataques al corazón por depresión del lunes por la mañana». Y si son tantas las personas que tienen ataques cardiacos con sólo pensar en el trabajo, imagínate la cantidad que caerán enfermas por otros motivos.

Lo irónico es que igual de sencillo es llenar nuestro día con cosas que nos gusta hacer que con cosas que debemos, necesitamos o detestamos hacer. A veces nos olvidamos de que tenemos el poder de crear la vida que nos gusta. De hecho, cuando atendemos a la sabiduría de nuestra intuición, o voz interior, descubrimos que nos realizamos más cuando hacemos lo que nos gusta y amamos lo que hacemos.

Eso es lo que estamos destinados a hacer. Cuando confiamos en nuestra voz interior y le hacemos caso, llegamos a comprender que cada día es un regalo y nos comprometemos a agradecer ese regalo trabajando en pos de lo que amamos.

Hace varios años, en un congreso, un joven nos hizo partícipes de uno de sus sueños: producir un vídeo con técnicas de maquillaje para que las mujeres aprendieran a estar bien y a sentirse mucho mejor con su aspecto. Michael era un estilista genial y su voz denotaba tanto entusiasmo que le dije que estaba seguro de que lo conseguiría.

Mi seguridad le despertó curiosidad, de modo que lo invité a comer para hablar de ello. Mientras conversábamos le expliqué que cuando una persona hace lo que le gusta, su entusiasmo e inspiración genera un impulso interior hacia el éxito. «La mayoría de las personas están atrapadas en la ilusión de que hay que terminar ciertas cosas, llegar a determinada edad o situación económica para poder comenzar a hacer lo que les gusta hacer». Michael comentó que ese era el ciclo que veía en su vida y en la de sus amigos.

Solemos decir «cuando haga más contactos podré poner en marcha mi empresa», o «cuando mis hijos estén en la universidad podré comenzar a hacer algunas de las cosas con que he soñado», o «cuando me jubile tendré tiempo para hacer lo que de verdad me gusta hacer». Por lo tanto, simplemente podemos disculparnos o bien empezar a hacer realidad nuestros sueños. Depende de nosotros y el secreto es determinar qué nos gusta hacer y comenzar a hacerlo.

—Pues voy a hacer el vídeo —me dijo—, pero también tengo que ganarme la vida. No puedo dejar mi trabajo para hacer lo que me gusta, ¿verdad?

Le expliqué que aprender a amar lo que hacemos ahora nos sirve para hacer más de lo que nos gusta.

—No se trata sólo de hacer lo que nos gusta sino también de amar lo que hacemos.

—Pero es que la rutina diaria me aburre soberanamente —me dijo—. ¿Cómo puedo aprender a amar mi trabajo?

Le sugerí que hiciera una lista de las treinta cosas que le gustaban de su trabajo y de las treinta que no, y que después buscara la manera de que cada una de ellas le sirviera para hacer más de lo que le entusiasmaba hacer.

Al mes siguiente, Michael asistió a la Experiencia Descubrimiento, donde definió con claridad su visión, inspiración y finalidad de su vida. Su sueño era poseer y dirigir una empresa de cosméticos, producir el vídeo didáctico sobre cosmética, escribir diez libros en diez años, contribuir a la curación y componer y producir música. Actualmente cuenta en su haber con un vídeo y un anuncio, ha escrito seis de sus diez libros, su música está en manos de un prometedor agente de

Nashville y ayuda a otras personas a abrir sus corazones para sanar sus vidas.

Hacer lo que nos gusta es la clave para la satisfacción

Si uno avanza confiadamente en la dirección de sus sueños y procura vivir la vida que se ha imaginado, se encontrará con un éxito inesperado en las horas normales.

Henry David Thoreau

- Estamos destinados a hacer lo que nos gusta.
- La finalidad primordial es seguir las inspiraciones y hacer lo que nos gusta.
- Cuando unimos nuestros actos diarios con nuestra finalidad, vivimos la vida que deseamos.
- Cuando hacemos lo que nos gusta y amamos lo que hacemos, se nos abre el corazón y estamos receptivos y agradecidos, y la voz interior nos habla y nos guía.

Cuanto más hacemos lo que nos gusta y más amamos lo que hacemos, más satisfactoria es nuestra vida. Un ejemplo de ello lo podemos ver en la historia de Bárbara, una mujer australiana que estaba pasando sus vacaciones en Quebec. Un día se encontraba en una cafetería cuando oyó a dos hombres hablar de la Experiencia Descubrimiento. A los pocos días me llamó para preguntarme por el programa. Me dijo que aunque su timidez no le hubiera permitido en otras circunstancias acercarse a hablar con personas desconocidas, algo la impulsó a pedir más información sobre el tema. Le interesó tanto la idea de aprender la manera de hacer lo que le gustaba que prolongó sus vacaciones una semana más para asistir a mi siguiente programa Experiencia Descubrimiento.

Bárbara era una próspera e importante abogada y acababan de ofrecerle hacerse socia de la empresa en la que trabajaba. Llevaba años trabajando justamente con ese fin, pero ahora que la oportunidad llamaba a su puerta, no estaba muy segura de querer dejarla entrar. Me dijo que había estado pensando muchísimo en sus viejos sueños, en esos que había abandonado, por considerarlos poco realistas, cuando decidió seguir los pasos de su padre y entrar en la Facultad de Derecho.

—He invertido tanto tiempo y energía en todo esto —me dijo—, que ¿cómo se me puede ocurrir ahora siquiera, aunque no me sienta satisfecha tirar por la borda todo el trabajo que ya he realizado para intentar algo que ni siquiera sé si puedo hacer?

Con un poco de estímulo por mi parte, me contó que el sueño que había abandonado era el de ser pintora. Le encantaba pintar retratos, cosa que hacía desde que era pequeña aunque en los diez últimos años poco era lo que había podido pintar.

—Cuando saco mis cuadros al principio me siento eufórica —me explicó—, pero después me deprimo porque sé que nunca será algo más que una afición.

Le hice unas cuantas preguntas para ayudarla a enfocar sus inspiraciones y su visión sobre la vida que le gustaría llevar. Así, una vez que analizó con más profundidad sus ideas y creencias, comprendió que podría comenzar a realizar su sueño sin dejar la seguridad del trabajo que tenía, hasta estar preparada para dar ese paso.

Continuó en el bufete de abogados, pero declinó la oferta de asociarse, y a los dos años ya ganaba tanto dinero con sus retratos que pudo dejar su trabajo a jornada completa en la consultoría jurídica. Actualmente sus cuadros se venden en las mejores galerías de Sydney, y su conocimiento de la ley le es muy útil en sus negocios.

El dolor del pesar es mayor que el dolor de la autodisciplina

> *Son capaces porque se creen capaces.*
>
> Virgilio

- Todo sueño tiene su precio y su premio. Si estamos entusiasmados por una finalidad, estamos dispuestos a pagar el precio y a aceptar el dolor y el placer de la autodisciplina.
- Si no llenamos nuestra vida con lo que nos gusta hacer se nos llena con lo que no nos gusta hacer.
- Cuando consagramos nuestra vida a una finalidad, comienza a desplegarse nuestra magnificencia interior.
- Dar pasos activos de amor sana años de temores y ataques de dudas.

Hace muchos años, en el instituto profesional, vi la entrevista que le hicieron a un hombre el día de su 103 cumpleaños. La entrevistadora le preguntó alegremente qué deseo pediría cuando soplara las velas de la tarta. El hombre la miró con lágrimas en los ojos y contestó: «Mi deseo será poder volver aquí con más valor, para hacer cosas con las que soñaba y tuve miedo de intentar».

Todavía recuerdo la expresión en los ojos de ese hombre; expresión que en cierto modo ha sido un estímulo para mí, ya que me ha motivado a seguir en mi misión y a continuar haciendo lo que me gusta y amando lo que hago. El dolor del pesar ciertamente es mayor que el de la autodisciplina.

La verdad es...

Y ahora tengo la firme convicción, basada no sólo en mi experiencia sino en el conocimiento de la experiencia de otras personas, de que cuando se va en pos de la felicidad, se abren puertas donde uno no sabía que existen y donde no las hay para nadie más.

Joseph Campbell

- Amar lo que hacemos nos sirve para hacer más de lo que nos gusta.
- Cuando hacemos lo que nos gusta podemos prosperar más en todos los aspectos de la vida.
- Nuestro cuerpo sabe cuando estamos haciendo lo que nos gusta y respalda nuestra misión con energía sanadora y vitalidad.
- La vida es más satisfactoria cuando vamos en pos de nuestra finalidad principal: la que amamos.
- Cuando hacemos lo que nos gusta y amamos lo que hacemos, tenemos el corazón abierto, somos agradecidos, y nuestra alma y corazón nos habla y nos guía.

Reflexiones

Cualquier cosa que puedas hacer o soñar, puedes comenzarla.

Johann Wolfgang von Goethe

1. Recuerda la última vez que estabas disfrutando tanto con lo que hacías que se te pasó el tiempo sin darte cuenta.
2. Retrocede hasta tu infancia. Piensa en lo que querías ser cuando fueras mayor en los años del parvulario, en pri-

maria y secundaria. ¿Todavía te agita el corazón alguno de esos sueños?

3. Pregúntate si te gusta tu trabajo; responde con sinceridad.

4. Dedica unos momentos a imaginar cómo podría ser tu vida si estuvieras haciendo lo que te gusta.

Realizaciones

Vive tu sueño.

Athena Starwoman

1. Si supieras que no puedes fracasar, ¿qué serías, qué harías, qué tendrías? Escríbelo con todo detalle.

2. Anota diez cosas que te guste hacer de tu trabajo actual y diez que no te gusten. Después explica al menos una manera de cómo cada una de esas cosas te está preparando y ayudando para hacer lo que te gusta.

3. Escribe los tres primeros pasos que te llevarían a hacer lo que te gusta. Comprométete a dar el primero durante la próxima semana.

4. Comienza una lista de amor. A partir de hoy, cuando veas, oigas o experimentes algo que te haga saltar una lágrima de gratitud, anótala. Con el tiempo empezarás a observar que tu lista adquiere forma, estructura, y verás cómo te sirve para aclarar tu finalidad principal y para motivarte a hacer lo que te gusta.

Afirmaciones

- Hago lo que me gusta y me gusta lo que hago.
- Cuanto más amo lo que hago, más cosas puedo hacer de las que me gustan.
- Doy pasos activos en el amor para superar mi miedo.
- Estoy preparado/a para aceptar el dolor y los placeres de hacer lo que me gusta.
- Cuando me entrego a mi finalidad, mi cuerpo, mente, corazón y alma prosperan y me respaldan.
- Mi energía es infinita cuando estoy inspirado/a en el amor.
- Sano mi cuerpo haciendo lo que me siento amorosamente inspirado/a a hacer.

4

Tanto creemos, tanto conseguimos

Todo lo que somos es resultado de nuestros pensamientos.

Buda

¿De qué nos alimentamos?

Todos sabemos que el alimento sano nutre y sana el cuerpo. Pero lo que muchas personas no comprenden aún es que los pensamientos sanos alimentan el alma y el corazón. En realidad, los pensamientos sanos, inspiradores y autoafirmadores contribuyen a sanarnos el cuerpo y nos ayudan a conseguir nuestros objetivos en la vida. Los pensamientos de duda y temor, sin embargo, nos bloquean la fe en nosotros mismos y se interponen en nuestro camino hacia las consecución de nuestros deseos.

Los estudios han demostrado que más del 50 por ciento de los pensamientos que tiene una persona corriente son despectivos con respecto a sí misma. Por lo tanto, no es de extrañar que a muchos les resulte muy difícil llevar a cabo cambios sanos y estimulantes en sus vidas y más difícil aún hacer realidad sus sueños.

Los pensamientos son el alimento de la mente. Cuando nos concentramos en nuestras inspiraciones y enfocamos los pensamientos en la dirección de nuestros objetivos deseados, damos pie a que se produzcan fabulosas consecuciones. Cambiar los pensamientos nos cambia la vida, porque la conciencia atrae y perpetúa lo que pensamos y lo que creemos. Si nos concentramos en la prosperidad, atraemos prosperidad, y si lo hacemos en la pobreza, atraemos pobreza. Es decir, tanto creemos, tanto conseguimos.

Comencé a aprender este principio cuando tenía 17 años. Por aquella época vivía en Hawai. Allí fue donde conocí al doctor Paul Bragg, un hombre de 93 años de edad que influyó de forma decisiva en mi vida. Una noche me dirigió en una meditación que no olvidaré jamás, porque fue entonces cuando tuve por primera vez la visión de lo que iba a hacer en esta vida. «Tienes que decidir a qué vas a consagrar tu vida antes de que hagamos la meditación», me dijo, «porque sea lo que sea que experimentes en esta meditación es lo que harás en el futuro».

Pues bien, cuando uno tiene 17 años esa pregunta es tremenda. Recuerdo que pensé «¿Y de verdad tengo que decidirlo ahora?». Pero cuando me la hice unas cuantas veces y consideré las posibilidades comenzó a surgir la respuesta. Por aquel entonces había abandonado los estudios y vivía en la playa norte de Oahu dedicado a practicar el surf; además tenía un problema de salud. Puse juntas estas dos observaciones y después contemplé mi pasado. Mi formación era más bien pobre. Mi profesora de primero de básica nos había dicho a mis padres y a mí que probablemente no llegaría a nada; que no aprendería ni a leer, ni a escribir ni a comunicarme. El recuerdo de ese comentario en ese momento me produjo un enorme deseo de vencer todos esos factores en contra y comenzar a aprender otra vez. Así pues, los reuní todos y decidí que dedicaría mi vida a investigar y a descubrir las leyes universales relativas al cuerpo, mente y alma, aplicadas sobre todo a la salud.

Cuando entré en esa meditación me vi hablando a grandes grupos de personas. No tenía ninguna experiencia de hablar en público, pero esa visión fue tan clara y yo estaba tan presente que me saltaron lágrimas de inspiración. Cuando salí de la meditación me sentí sobrecogido por esa visión. «Fíjate», pensé, «yo, un claro fracaso escolar, y voy a viajar por el mundo y a hablar de los principios universales de la curación; seguro, una idea fantástica». Para hacerlo todavía más interesante, en esa época estaba viviendo en una tienda con otros surfistas.

Durante todo el verano el doctor Bragg dio charlas en el centro de la isla. Como pensaba que podría ser un buen maestro para mí, todas las mañanas hacía dedo para ir a correr y a tomar el desayuno con él. Un día le dije que me sentía sobrecogido y asustado por la visión que tuve durante la meditación.

—No veo la manera de hacerla realidad —le dije—. Está demasiado lejos de donde yo estoy ahora.

—Eso no es un problema, hijo —me contestó, mirándome con una sonrisa de oreja a oreja—. ¿Hay alguna otra cosa que te preocupe?

Yo me quedé desconcertado un momento, pero después contesté:

—No, con eso ya tengo bastante.

—Muy bien —respondió el doctor Bragg—, esto es lo que vas a hacer. De ahora en adelante dirás cada día y durante el resto de tu vida, sin olvidarte ni un solo día la siguiente frase: «Soy un genio y aplico mi sabiduría», y todo lo demás cuidará de sí mismo.

Así pues, mientras volvía a la playa norte fui repitiendo

en silencio: «Soy un genio y aplico mi sabiduría». Cuando entré en la tienda les dije a mis compañeros:

—Eh, tíos, soy un genio y aplico mi sabiduría.

Me miraron por encima del hombro y se echaron a reír.

—Claro que sí, John, lo que tú digas.

De hecho, ese fue mi primer grupo de apoyo, ja, ja, para animarme a ir en pos de esa visión. Continué repitiendo esta afirmación durante todo el día mientras caminaba por la playa, hacía surf o por la noche cuando aún estaba despierto. Entonces una noche, cuando iba caminando por la playa admirando las estrellas, me di cuenta de que en mis pensamientos se había producido un cambio importante y decidí que deseaba volver a casa y contarles mi visión a mis padres. Allí me animaron a prepararme para pasar un examen de convalidación de enseñanza secundaria y sacarme el certificado de estudios, que se podía equiparar con el diploma de enseñanza secundaria. ¡Lo aprobé! y muy pronto solicité entrar, y me aceptaron, en Wharton College.

Al cabo de un año y medio más o menos, estaba sentado en la biblioteca estudiando matemáticas y alguien me pidió que le ayudara con unos problemas. Comencé a explicarle la forma de trabajar el problema y a los pocos minutos vi que alrededor de la mesa se habían reunido unas doce personas para escuchar y hacer preguntas. Estaba inmerso en lo que hacía cuando de pronto oí decir a un chico que estaba unas tres mesas más atrás: «¡Ese tío es un genio!». Inmediatamente recordé lo que me había dicho el doctor Paul Bragg hacía casi dos años. En ese momento comprendí el poder de esa afirmación.

Después descubrí que un genio es una persona que escucha a la luz de su alma y obedece. Y la sabiduría es la luz del alma. Me di cuenta de que lo que había estado afirmando es que consagraría mi vida a escuchar a esa sabiduría mía interior, a utilizarla, a experimentarla, a dar pasos en la fe, a hacer servicios de amor y a obedecer lo que ese susurro interior me dijera que debía hacer. Y todavía hoy continúa sorprendiéndome lo profunda que es esa orientación y lo magnífico que fue el regalo que me hizo el doctor Bragg.

Avanzamos en la dirección de nuestros pensamientos dominantes

Los susurros mentales producen poder dinámico para reformar la materia en lo que deseamos. [...] Sea lo que sea en lo que creamos intensamente, la mente lo materializará.

Paramahansa Yogananda

- Para triunfar en cualquier empresa es esencial concentrarse en lo que se intenta hacer.
- Los hábitos son pensamientos aplicados en el tiempo para formar patrones previsibles en nuestra estructura física, emocional, mental o espiritual.
- La conciencia atrae y perpetúa aquello que se piensa y cree.
- Cuanto más constante se vuelve un pensamiento con el tiempo, mayor es su influencia minuto a minuto, día a día y año a año.

Purificamos poco a poco la mente cuando aprendemos a corregir nuestros pensamientos dominantes, disolviendo el diálogo interior exagerado o infravalorado y aumentando los mensajes claros y amorosos de nuestro corazón y alma. Cuando alimentamos la mente con lecturas estimulantes, música armoniosa y afirmaciones capacitadoras, nos atraemos la inspiración y belleza y nos capacitamos.

Pero si centramos la mente en el miedo y las dudas, saboteamos las posibilidades de alcanzar consecuciones. Ahora bien, cuando lo hacemos en los planes de acción, nos programamos para el éxito.

Con los años he tenido la oportunidad de conocer y atender a numerosas personas de esas que consiguen lo que quieren como lo más natural del mundo. A muchas les he pedido que me digan cuál es el ingrediente más importante de su éxito y la mayoría me han respondido que la idea de fracasar ni siquiera se les pasa por la cabeza. Sencillamente creen que son capaces de hacer lo que emprenden.

Ahora he llegado a comprender que todos tenemos la capacidad de creer en nosotros mismos y en nuestras ideas, pero que a veces no hemos despertado a ella todavía. Un buen ejemplo de esto es la historia de un hombre llamado Martin que deseaba abrir una tienda de ordenadores. Tenía un excelente plan, el suficiente dinero ahorrado y posibles inversores bien dispuestos, pero le faltaba la seguridad de ser capaz de hacerlo. Programó una consulta conmigo de medio día durante la cual le expliqué el concepto de lograr lo que creemos.

Al principio se mostró un poco receloso, seguía diciendo que no sabía si sería capaz de superar sus miedos. Le recomendé que escribiera una página de afirmaciones que apoyaran su sueño y las dijera al menos dos veces cada día. También le recomendé que leyera biografías de personas que han triunfado para así llenarse la mente de posibilidades inspiradoras. Me dijo que estaba deseoso de comenzar y que me mantendría informado. Exactamente 18 meses después abrió las puertas de su empresa. Cuando me envió la invitación a la «gran inauguración» de su tienda, me escribió: «Cuanto más leo sobre las personas que han triunfado, más me veo alcanzando objetivos similares, y lo más increíble es que veo con mucha claridad cómo se anima mi vida a la vez que se animan mis creencias». Actualmente Martin posee una cadena de tiendas, su empresa no deja de prosperar y va muy bien encaminado para convertirse en multimillonario.

La consecución comienza por un solo gran pensamiento

Somos lo que pensamos. Todo lo que somos surge con nuestros pensamientos. Con nuestros pensamientos hacemos el mundo.

El Dhammapada

- Todo lo que existe comenzó siendo un pensamiento.
- Tenemos muchos y grandes pensamientos, sólo hace falta acallar el ruido del cerebro para poder oírlos.
- Nadie sabe hasta dónde va a viajar un gran pensamiento o idea de hoy, ni a quién llegará mañana.
- Los pensamientos inspirados crean sueños inspirados.

Casi todas las historias de personas que han triunfado comienzan con un solo gran pensamiento que ha sido alimentado con fe. Y muchas de las que han alcanzado los mayores éxitos también se han enfrentado a las mayores adversidades. Cuando Walt Disney se presentó a solicitar trabajo de dibujante en los periódicos lo rechazaron de plano. Un director incluso le dijo que no tenía talento y que se buscara otra cosa que hacer en su vida. Pero él tenía una idea que transformó en visión, perseveró y continuó creyendo en sí mismo.

Hace unos seis años asistió a la Experiencia Descubrimiento Lauren, una mujer que había concentrado toda su atención en tener una próspera y lucrativa carrera como cantante. Sin embargo, cuando comenzaron a presentársele oportunidades se asustó y comenzó a pensar que tal vez no sería capaz de dar la talla. Tan pronto como dejó de creer en sí misma, dejó de sonar el teléfono con ofertas para actuar y las mismas personas que parecían deseosas de hablar con ella un mes antes, ya no le contestaban las llamadas telefónicas. Sabía que su falta de fe tenía un importante papel en el giro que había dado su vida y deseaba volver a creer en sí misma, pero no sabía cómo.

Durante el programa de dos días descubrió que su percepción sesgada del éxito le obstaculizaba la fe en sus capacidades. Según ella, estaba loca por convertirse en estrella y al mismo tiempo se sentía indigna por tener tanto éxito. Yo empleé el *Collapse Process* para ayudarla a equilibrar sus percepciones y a ver que su éxito le proporcionaría una cantidad igual de placer y dolor. Cuando ella percibió lo bueno y lo malo en equilibrio, el corazón se le abrió a su sueño y se sintió inundada de estímulo y entusiasmo.

Lauren se prometió a sí misma continuar centrada en sus objetivos y apoyar su visión con afirmaciones y visualizaciones diarias de su éxito. Actualmente se mantiene a sí misma y a sus tres hijos con su profesión de cantante. Hace poco recibí una postal suya, desde Los Ángeles, adonde había ido para grabar su primer disco compacto. En ella me escribía: «Cuanto más creo, más consigo».

La verdad es...

Lo semejante atrae a lo semejante. Lo que sea que piense y crea la conciencia, el inconsciente lo genera de forma idéntica.

Brian Adams

- Nos convertimos en nuestros pensamientos dominantes.

- Cambiamos la vida cambiando la forma de pensar.
- Si tenemos una idea tenemos la capacidad de materializarla.
- Cada pensamiento es una oportunidad para forjar el primer eslabón de una nueva cadena de hábitos.
- Los pensamientos dominantes desequilibrados producen una desagradable falta de armonía que genera ruido en el cerebro.
- Los pensamientos equilibrados dominantes producen amor incondicional y disponen el escenario para la consecución.

Reflexiones

Cualquier cosa que uno imagine con claridad, desee con ardor, crea con sinceridad y ponga por obra con entusiasmo, ocurrirá inevitablemente.

Paul Meyer

1. ¿Qué es lo que más deseas conseguir en este momento?
2. Cierra los ojos y visualízate habiendo conseguido ya lo que más te gustaría. Imagínate el cuadro del éxito con todos los detalles posibles y no olvides colocarte tú dentro.
3. Piensa en tres ocasiones en que tu firme fe en un pensamiento o idea tuvieron por resultado el éxito de una empresa.
4. Comienza a corregir tus pensamientos dominantes. Disuelve los temores y el diálogo interior exagerado o infravalorado. Afirma tu capacidad de triunfar.

Realizaciones

Se nos ha concedido el don de los dioses: creamos nuestra realidad de acuerdo con nuestras creencias. Nuestra es la energía creadora que hace el mundo. No hay límites para el yo, fuera de los que uno cree que existen.

Jane Roberts

1. Haz el siguiente experimento. Pon el despertador o un temporizador para que suene cada treinta minutos durante todo el día. Cada vez que lo haga, anota lo que estés pensando en ese momento.
2. Anota tus tres objetivos prioritarios por orden de importancia.
3. Escribe cinco afirmaciones por cada uno de esos tres objetivos o metas.
4. Lee la historia de las personas cuyas obras o consecuciones admiras.

Afirmaciones

- Tanto creo, tanto consigo.
- Alimento mi corazón y mi alma con pensamientos sanos y libros y cintas inspiradoras, estimulantes.
- Forjo conscientemente mis pensamientos dominantes para que apoyen los sueños que quiero hacer realidad.
- Si puedo imaginármelo, puedo conseguirlo.
- Veo sanar mi cuerpo.

5

Cada uno cosecha lo que ha sembrado

Si deseas ser amado, ama y sé amable.

Benjamin Franklin

La regla de oro

Por mucho que queramos no podemos transgredir la regla de oro. Esta suprema ley universal de causa y efecto abarca todas las demás verdades. Cualquier cosa en la que ponemos energía, ya sea un pensamiento, una palabra o un acto, finalmente vuelve a nosotros como un bumerán. Todas las energías, positivas y negativas, que enviamos al mundo vuelven a nosotros, pero a mayor velocidad y aumentadas de tamaño en su camino de regreso, al igual que los copos de nieve.

Si sembramos amor cosechamos amor. Si sembramos odio cosechamos odio. Este concepto es tan sencillo que muchas personas no ven su profundo significado. Este principio es el motivo de que tengamos la libertad para determinar y elegir lo que vamos a cosechar o conseguir en nuestra vida. Si deseamos recibir los exquisitos bienes de la vida, de nosotros depende ganárnoslos. Estos bienes no nos llegan debido a la suerte o al azar, sino que son consecuencia de nuestra productividad y de nuestras palabras o actos dirigidos a los demás.

Pero aunque esta ley universal ha quedado lo suficientemente ilustrada a lo largo de toda la historia, la primera hora que paso con muchos de mis clientes la he de dedicar a hacerles entender que ellos son los únicos responsables de los hechos que se producen en sus vidas. Recuerdo a un hombre llamado Morty que se quejaba de que durante todo el día sus clientes lo trataban con impaciencia y con muy poco respeto. Estaba convencido de que esto se debía a que sólo era un vendedor de alfombras. No se daba cuenta de que sus actos y actitudes sembraban la semilla de los resultados que obtenía.

—¿Cómo saluda a los clientes cuando entran en su tienda? —le pregunté.

—¿Qué quiere decir con eso de que cómo los saludo? No los saludo. Esto es una tienda de alfombras, no un comité de bienvenida.

—Bueno, ¿se preocupa de si necesitan algo mientras miran las alfombras?

—Oiga, doctor, creo que no me ha entendido. Yo tengo una tienda de alfombras. Es muy sencillo. Ellos desean comprar alfombras y yo tengo alfombras. ¿En qué tengo que ayudarles? En cada alfombra engancho una etiqueta con las características y el precio. Sólo tienen que entrar, ver si encuentran la que buscan, decirme cuál es y pagarla —me explicó.

—Morty, ¿conoce usted la regla de oro? —le pregunté.

Él miró hacia arriba, hacia abajo y hacia un lado, como tratando de leer en su memoria; después se encogió de hombros.

—No, ni idea.

Las siguientes cuatro horas me las pasé intentando ayudarle a comprender la regla de oro y su funcionamiento. Le expliqué que cuando enviaba sus pensamientos sobre el deseo de que no le molestaran lo que hacía era sembrar las semillas para que creciera una cosecha de clientes que lo trataran con la misma falta de respeto que él sentía por ellos. Le recomendé que comenzara a saludarles y les dijera que estaba allí por si necesitaban su ayuda. Se resistió a la idea, pero accedió a hacer la prueba.

Al cabo de un mes de sembrar una actitud de sincero interés por sus clientes, me llamó para decirme que estaba cosechando respeto y haciendo unos beneficios récord.

—Ahora sé por qué a esto lo llama regla de oro —me dijo, y añadió—. No, en serio, me funciona de veras, y para postres estoy ahorrando el dinero que me gastaba en aspirinas y antiácidos. ¡Gracias, doctor!

Nuestros actos determinan nuestros resultados

Jamás creeré que Dios juega a los dados con el mundo.

Albert Einstein

- Cualquier cosa en que pongamos energía hoy producirá resultados mañana.
- Cuando tenemos pensamientos productivos nos atraemos empresas productivas.
- Cuando respetamos y cuidamos de nuestro cuerpo, éste produce energía, fuerza y salud.
- El universo no es un juego de azar, es una demostración palpable de causa y efecto.

Los resultados que experimentamos en la vida no son en última instancia ni «buenos» ni «malos»; son simplemente los efectos previsibles que producen los actos (u omisiones) que hemos pensado y realizado (o no realizado). El Universo no juzga sino que equilibra. Todas las compensaciones que hemos experimentado en la vida son sencillamente la suma de todas las energías que hemos enviado a la vida. Todo lo que cosechamos, ya sea que lo consideremos bueno o no, contiene tantos beneficios como perjuicios y nos ofrece la ocasión de aprender el amor incondicional por nosotros mismos y a través de los demás. Cuando se trata de objetivos a corto plazo, como por ejemplo seguir las instrucciones para armar un juguete o aparato, o para mezclar los ingredientes de un pastel, es fácil ver cómo nuestros actos determinan nuestros resultados; pero cuando se trata de causas y efectos a largo plazo solemos olvidar que en ellos rige el mismo principio.

Hace unos años George asistió a la Experiencia Descubrimiento sentado en una silla de ruedas. No estaba paralítico pero tenía tan rígidas las rodillas a causa de la artritis que le resultaba muy difícil sostenerse de pie y muy agotador caminar. Acababa de retirarse de una empresa de arquitectura en la que había trabajado durante treinta años. Asistió a la Experiencia Descubrimiento porque quería decidir qué hacía el resto de su vida. Nos dijo:

Tengo sesenta y dos años, y por lo más sagrado que voy a pasar el resto de mi vida haciendo algo que desee hacer. Basta ya de ir cada día de mala gana a un trabajo que no soporto, de diseñar fríos edificios de oficinas a las que la gente detesta ir. Durante dieciocho años trabajé muy a gusto, pero después mi supervisor me trasladó a otro departamento y jamás me acostumbré al nuevo encargado ni a su manera de ser. Lo único que le interesaba a Karl era el lucro. Así, la parte creativa de mi trabajo desapareció para siempre y pasado un tiempo todos los proyectos me parecían iguales. Pero estaba decidido a continuar firme hasta mi retiro. Y he de decir que hice sudar a Karl, no le resultaba fácil manejarme. Se tuvo que ganar todo lo que le di.

Le pregunté qué deseaba hacer ahora y dijo que no lo sabía muy bien.

—Cuando era más joven, antes de que se agravara tanto la artritis, pensaba que diseñaría casas de ensueño. Pero ahora, la verdad es que no lo sé.

Le sugerí que comenzara el *Collapse Process*, ya que le serviría para aclarar sus percepciones. Cuando experimentamos esta verdad nos sumergimos en el amor incondicional que el corazón y el alma siempre nos están revelando, pero que normalmente bloqueamos con percepciones sesgadas, emociones y mentiras.

George decidió terminar el *Collapse Process* dedicándose a Karl, al supervisor que no le caía bien, y al hacerlo comenzó a darse cuenta de que él también había hecho todas las cosas que le fastidiaban de Karl. Asimismo comenzó a descubrir un patrón de comportamiento que empezó en el momento en que contrataron a Karl y que continuó hasta la época en que se le fue agravando la artritis.

Le expliqué que la rigidez de las rodillas es a veces la forma que tiene el cuerpo de expresar que no desea doblarlas para someterse a la autoridad. Le pregunté cuánto tiempo llevaba definiendo su trabajo como algo que no podía soportar. Se le llenaron los ojos de lágrimas.

—Desde que conocí a Karl —contestó.

Le recomendé que continuara trabajando en el *Collapse Process* hasta que lograra ver la magnificencia de Karl y comprendiera de qué manera este había sido una bendición para él y le había sido útil en su vida.

George fue la última persona en terminar su Colapso esa noche, pero cuando lo hizo le quedó claro que Karl sencillamente le había devuelto todo lo que él había dicho o pensado de él durante todos esos años. Vio claramente cómo sus actos determinaban sus resultados. También logró entender que su experiencia con Karl le había servido para crecer, dándole más determinación y valor para comenzar de nuevo a los sesenta y dos años.

También de la misma manera comprendió que él había programado su cuerpo con pensamientos de «mantenerse firme» en su posición, de «no doblegarse» jamás ni «ser capaz de soportar» su trabajo. Vio asimismo la perfección de muchos de los aspectos de su relación con Karl y le agradeció haber sido el mejor profesor que había tenido en su vida. Una vez hecho esto, abrió su corazón y le rodaron lágrimas de gratitud por las mejillas y una oleada de amor incondicional hinchó el corazón de todos los presentes. Nadie pudo aguantar las lágrimas en la sala cuando George se levantó de la silla de ruedas y rodeó la mesa para abrazar y darle las gracias a un participante que le recordaba a Karl y que había hecho el papel de éste.

Al día siguiente George llegó a la sesión sin su silla de ruedas. Caminaba envarado, pero caminaba. Con orgullo anunció que estaría disponible para diseñar y construir una casa de ensueño para cualquiera que estuviera interesado.

Plantar flores o vivir arrancando malas hierbas

Ponerse a ello es la parte más importante del trabajo.

Platón

- Cuando no plantamos flores vivimos arrancando malas hierbas.
- Una vez hemos plantado las flores, no debemos permitir que se apoderen de ellas las malas hierbas.
- Cada vez que arrancamos una mala hierba las flores se hacen más visibles.
- Cualquier cosa que no amemos en la vida se convierte en mala hierba.

Pero para ser justos, las malas hierbas de una persona son las flores de otra. De pequeño residí en un barrio de Houston. En la casa de al lado vivía una anciana, la señora Grubs. En su patio tenía un hermoso jardín muy bien diseñado y cuidado que siempre estaba lleno de flores de colores. Cada día venían los colibríes y las abejas a visitar sus fragantes madreselvas. Era una maestra en el arte de la jardinería y yo disfrutaba ayudándole a regar sus plantas.

Para esa época la casa de mis padres estaba rodeada de hierbas que no paraban de crecer, y yo me pasaba el día arrancándolas. Pero cuando terminaba de quitar las de un lado y volvía al otro, tenía que comenzar de nuevo. Era un trabajo inútil.

Un caluroso día en que yo estaba fuera arrancando las hierbas, la señora Grubs salió a su jardín y fue testigo de mi infructuoso trabajo. Se apoyó sobre la cerca que separaba las dos casas y me dijo algo tan profundo que todavía me parece oírla: «John, si no plantas flores en tu jardín siempre estarás arrancando malas hierbas». En ese momento me tomé la lección de la señora Grubs al pie de la letra, pero de mayor, sus palabras siguieron resonando en mi cabeza y entonces comencé a comprender que en realidad las podía aplicar a todos los aspectos de mi vida.

La verdad es...

Si quieres animarte, anima a otra persona.

Booker T. Washington

- Es imposible transgredir la regla de oro de causa y efecto; hagamos lo que hagamos, cosechamos lo que sembramos.
- Las bendiciones no tienen nada que ver con lo que llamamos suerte. Son resultado de nuestros pensamientos, palabras y actos.
- Ya sea que al principio lo consideremos beneficio o perjuicio todo lo que cosechamos nos sirve y nos ofrece la oportunidad de sembrar amor incondicional.
- Nuestra salud y bienestar de mañana es el resultado de lo que hacemos, pensamos y creemos hoy.

Reflexiones

Los actos de un hombre son su vida.

Dicho africano occidental

1. Haz un repaso del día de hoy y busca la relación entre lo que has sembrado y lo que has cosechado.

2. Vuelve a repasarlo, y esta vez visualízate sembrando las semillas de lo que te gustaría cosechar e imagínate cosechándolo.

3. Piensa en una situación de tu vida que mejorara después de arrancar las malas hierbas que la rodeaban.

4. Identifica un aspecto de tu vida que podría prosperar si «plantaras flores», y después comprométete a sembrar lo que sea que más te guste.

Realizaciones

El trabajo es el amor hecho visible.

Kahlil Gibran

1. Anota tres situaciones de tu vida que consideras negativas.

2. De esas situaciones elige la que más te gustaría contemplar desde una perspectiva equilibrada y escribe treinta cosas que te disgustan o consideras negativas de esa situación. Repasa tu lista y para cada uno de los treinta aspectos que te parecen negativos, recuerda una ocasión en que hiciste eso mismo o su equivalente. Sé sincero/a y piénsalo detenidamente.

    Lee de nuevo la lista. Esta vez escribe al menos una forma en que el aspecto considerado negativo te haya beneficiado o servido. (Tal vez te convenga dividirlo en tres columnas, como en el ejemplo siguiente.)

Ejemplo:

Situación que querría ver equilibrada: *Mi matrimonio*

Lo que me disgusta ➤ *Cuándo lo he hecho* ➤ *Cómo me sirve*

1. Mi marido no me hace caso ➤ Yo no le he hecho caso a mi hijo ➤ Nuevas aficiones.
2. Planchar la ropa de mi familia ➤ Mi madre planchaba la mía ➤ Tiempo para soñar despierta

3. Escribe una carta de agradecimiento al Universo expresándole gratitud por las oportunidades que te ha ofrecido tu situación para sembrar y cosechar en su situación amor incondicional.

Afirmaciones

- Estoy sembrando lo que deseo cosechar.
- Estoy plantando flores y arrancando malas hierbas en el jardín de mi vida.
- Planto semillas de producción y cosecho resultados beneficiosos.
- Respeto mi papel de creador de mi vida y agradezco que mis actos determinen mis resultados.
- Siembro pensamientos sanos para cosechar salud.

6

Todo lo que se desea con amor es posible

Cada instante de nuestra vida es infinitamente creativo y el Universo infinitamente pródigo. Sólo tenemos que hacer una petición lo bastante clara y nos llegará todo lo que anhela nuestro corazón.

Shakti Gawain

¿Cuánto valen nuestros deseos?

Todo lo que se desea con amor es posible, incluso el deseo de gozar de una salud equilibrada. Pero hemos de tirar algo más que unas pocas monedas en la fuente si queremos hacer realidad nuestros sueños y deseos inspirados. La realidad es que estamos destinados a consagrarnos a nuestras inspiraciones. Esa es justamente nuestra finalidad en la vida. Pero por algún motivo no siempre nos creemos dignos de vivir nuestros sueños, por lo que en lugar de aspirar a las estrellas, que es nuestro destino, nos aferramos a nuestras ilusiones engañosas y nos conformamos con la mediocridad.

Sin embargo, no tenemos por qué conformarnos con menos de lo que nos gustaría. Tenemos todo lo necesario para triunfar en la realización de nuestros más queridos sueños, sean cuales sean. Lo único que se interpone en nuestro camino son los temores ilusorios, ya que los actos hechos con gratitud disuelven el temor como la luz la oscuridad. De hecho, cuando sentimos verdadero agradecimiento por lo que somos y por lo que tenemos, el corazón y el alma nos guían en la dirección de nuestros más acariciados deseos y de nuestra finalidad más inspirada.

Hace unos meses, Rosalyn, una mujer a la que no conocía, me envió un sobre. Dentro había una tarjeta con el anuncio de un nacimiento, la fotografía de un bebé y una carta que decía así:

Querido doctor Demartini:

Mi marido Bruce y yo deseamos agradecerle el papel que desempeñó usted en el nacimiento de Christopher, nuestro bebé milagro. Deseábamos de todo corazón tener un hijo, pero según nuestro médico teníamos prácticamente un cero por ciento de posibilidades de concebir sin que yo tomara fármacos para la fertilidad. Yo no quería tomar medicamentos y mi reloj biológico ya estaba a punto de marcar los 45 años.

Mi 45 cumpleaños cayó en viernes, de modo que decidí tomarme el día libre y disfrutar de un fin de semana de tres días. Bruce me dio una sorpresa y me sirvió el desayuno en la cama, así que mientras comía me puse a mirar la televisión. Mientras cambiaba de canal con el mando a distancia me llamó la atención usted, que aparecía en calidad de invitado en un programa. Era uno de esos programas sobre la salud y usted le estaba diciendo a una mujer del público que «todo deseo amoroso es posible». Continué escuchando y me di cuenta de que esa mujer tenía el mismo problema que yo: era estéril. Su historia era tan similar a la mía que se me hizo un nudo en la garganta y me eché a llorar. Tuve la impresión de que usted se estaba dirigiendo a mí cuando le dijo a ella que todas las mañanas y todas las noches pensara con gratitud en las cosas buenas que había en su vida y que no dejara de hacerlo hasta sentir el corazón abierto hacia el amor incondicional, la orientación de su alma. Y usted le dijo: «Cuando agradecemos lo que tenemos nos atraemos más bendiciones a nuestra vida».

En fin, seguí su consejo y también lo siguió mi marido, y al cabo de tres meses descubrí que estaba embarazada. Christopher ya tiene un mes, es un bebé muy sano y para nosotros es una bendición muchísimo mayor de lo que jamás habríamos podido soñar.

Gracias

Rosalyn, Bruce y Christopher

Todo milagro comienza siendo un sueño

No hay nada como un sueño para crear el futuro.

Victor Hugo

- Nuestros sueños representan nuestros valores fundamentales. Son el patio donde juega la mente, donde cada deseo amoroso es posible.

- Los sueños inspirados son la fuerza que impulsa todos los grandes actos y obras.

- Un sueño es una vid mágica por la que se puede subir a un nuevo plano de conciencia, donde se pueden poner en práctica las palabras, realizar los actos, imaginar los planos, diseñar los monumentos y explorar la imaginación en toda su extensión.

- Todo lo que podemos concebir lo podemos conseguir.

Un milagro simplemente es un acontecimiento que no se adapta a las teorías científicas del momento. Por ejemplo, las pruebas científicas dijeron que Rosalyn no podía concebir, pero ella no era de la misma opinión. La ciencia es un proceso magnífico, pero está a años luz de tener todas las respuestas a los rompecabezas de nuestro complejo Universo. Así, cuando se trata de asuntos del corazón, es más juicioso escuchar la voz orientadora interior que hacer caso de las limitaciones que expresan los científicos a través de sus dudas y de las demás personas incrédulas.

Cuando se escucha la sabiduría del propio corazón y alma, y se le obedece, se vive una vida de amor incondicional, maduro para presenciar milagros de todos los tipos imaginables. El amor incondicional sana el cuerpo y la mente y da energía a los sueños e inspiraciones.

Hace unos diez años tuve la oportunidad de conocer a un hacedor de milagros llamado Joe, custodio que hacía milagros en la vida de los niños que asistían a la escuela donde él era el encargado de la limpieza, trabajo del que se enorgullecía. Era una escuela pequeña de poco presupuesto, pero a él le gustaba su trabajo y amaba a los niños. A muchos los conocía por su nombre y les hablaba con respeto y en tono amistoso. Se preocupaba especialmente de los niños que veía en situaciones difíciles. En ese barrio, bastante humilde, algunos niños llegaban a clase un día tras otro sin nada para almorzar. Algunos días Joe hacía más de veinte bocadillos y los dejaba en los pupitres de esos niños cuando salían al recreo a media mañana. Si tenía tiempo les ponía en el papel con el que los envolvía esta frase: «De uno de tus ángeles».

Un verano por la tarde me lo encontré en el parque de la ciudad. Iba radiante de energía; le pregunté qué había estado haciendo durante las vacaciones.

—La verdad es que he estado trabajando como voluntario en la escuela —me dijo—. Estamos construyendo un anexo donde se instalarán la cafetería y una sala de almuerzo para los niños. Además, el gobierno nos ha concedido algunos fondos a la escuela para que los niños que no pueden pagar no paguen.

Le pregunté cómo había conseguido reunir dinero el distrito para hacer ese anexo. Él reconoció modestamente que desde hacía unos años había estado haciendo campaña en ese sentido.

—Supe lo que era pasar hambre cuando era niño y mi deseo y sueño de toda la vida ha sido contribuir a alimentar a los niños hambrientos.

Me contó que cuando comenzó la campaña para reunir fondos, muchas personas pensaron que no lo conseguiría, aún así, él siguió creyendo en sus sueños y las donaciones comenzaron a llover.

Estamos destinados a hacer realidad nuestros sueños inspirados

> *Avanza confiado en la dirección de tus sueños.*
> *Vive la vida que has soñado.*
>
> Henry David Thoreau

- Tenemos todo lo que hace falta para hacer realidad nuestros sueños inspirados.
- Nuestros sueños son nuestra visión y vocación.
- Para realizar nuestros sueños hemos de estar dispuestos a sacrificar nuestras ilusiones engañosas.
- Cuando seguimos nuestros sueños inspirados atraemos a las personas, lugares, cosas, ideas y acontecimientos que pueden hacerlos posibles.

Los sueños inspirados son el bote salvavidas del corazón y el alma. Son nuestra razón de ser. Siempre que atendamos esa guía interior y vayamos en pos de nuestros sueños estaremos destinados a triunfar. Cuando obedecemos a la sabiduría del corazón y el alma, tomamos medidas y actuamos, transformamos nuestros sueños en una realidad palpable.

Hace un año más o menos, una mujer llamada Linda asistió a uno de mis programas Profecía para el éxito personal. Cuando llegó me contó que tenía una visión inspirada de lo que deseaba ser, pero que considerado desde un punto de vista lógico ese sueño le parecía más que imposible.

Le expliqué que si centraba su atención en su sueño con todos los detalles y daba pasos activos guiada por sus inspiraciones, se atraería a las personas, acontecimientos y recursos que necesitaba para hacerlo realidad. Unos días después explicó que su sueño era crear una empresa de lo que ella llamaba servicio de «niñeros de hogar», es decir, de hombres y mujeres eficientes e ingeniosos que se encargaran de los quehaceres domésticos dirigido a aquellos padres que deseaban cuidar de sus hijos ellos mismos.

Muchos de los participantes del programa consideraron que la idea era fabulosa, lo que le permitió a Linda comenzar a ver la manera de cómo ponerse manos a la obra para poder hacer realidad su empresa. Y se concentró tanto en la idea que cuando acabó el programa de siete días ya había colocado un anuncio en el periódico para encontrar personas que cumplieran los requisitos para esos puestos. Dos de los participantes le dieron además los nombres de dos parejas que podrían estar interesadas en ese servicio.

La verdad es...

Todo lo que vemos o nos parece ver no es otra cosa que un sueño dentro de un sueño.

Edgar Allan Poe

- Cuando se siguen los sueños inspirados se obtiene luz, amor, sabiduría y poder.
- En cuanto dueño de sus sueños uno tiene la voluntad de obedecer a la sabiduría de su alma y corazón.
- El corazón y el alma hablan el idioma del amor incondicional y la gratitud.
- Todo deseo amoroso es posible, porque todo deseo inspirado tiene por finalidad hacerse realidad.

Reflexiones

*Pon alto el listón, cuanto más alto mejor. Espera que sucedan las
cosas más maravillosas, no en el futuro sino ahora mismo.*

Eileen Caddy

1. Piensa en tres deseos que alguna vez hayas formulado al tirar una moneda al agua o al apagar las velas de la tarta de cumpleaños que se hayan hecho realidad.
2. Dedícate un momento a pensar en cada uno de esos deseos y pregúntate si alguno de ellos era inspirado o sincero.
3. Piensa en al menos dos personas que conozcas que creen en sus sueños y que aspiran a hacerlos realidad. Invítalas a comer en calidad de maestras o mentoras.
4. Cierra los ojos y dedica cinco minutos a dejarte llevar por tus sueños inspirados.

Realizaciones

Pedid y se os dará; buscad y hallaréis; llamad y se os abrirá.

Mateo 7:7

1. Recuerda tres ocasiones en que alguien intentara disuadirte de perseguir un objetivo y en que tú continuaras con la mira puesta en él y lo consiguieras.
2. De las ocasiones recordadas elige la que te sea más grata y descríbela en todos sus detalles. Procura describir también tu orientación inspiradora, sus sentimientos de amor y lo que hiciste.

3. Siéntate en un sillón cómodo y comienza a enumerar todo lo bueno que tienes. Piensa en todas las cosas y en todas las personas por las que sientes verdadera gratitud. Mantén la mente y los pensamientos centrados en tus momentos de gratitud hasta que se te llenen los ojos de lágrimas de inspiración. Después pide a tu voz interior que te revele un sueño inspirado.

4. Da el primer paso hacia la consecución de ese sueño inspirado que tu interior te ha revelado.

Afirmaciones

- Abro el corazón con gratitud para oír la sabiduría de mi alma.

- Tengo la sabiduría y la disciplina para escuchar la orientación que me ofrecen mi corazón y mi alma y para obedecerla.

- Cada uno de mis deseos amorosos y sanadores es posible.

- Agradezco a mis sueños e inspiraciones.

7

Si no sabemos adónde vamos llegaremos a cualquier sitio

La mayor tentación es conformarse con demasiado poco.

Thomas Merton

¿Navegamos sin un rumbo claro?

La mejor probabilidad de llegar a donde queremos llegar es saber exactamente adónde vamos. Eso también vale para sanar el cuerpo y para todo lo que hacemos. Pero si bien muchas personas saben esto por intuición, muy pocas lo practican. Algunas incluso planean esmeradamente sus dos o tres semanas de vacaciones anuales dejando de lado las otras 49 o 50 semanas del año. Así, en lugar de guiarse por sus planes suelen andar indecisas por falta de un rumbo o una finalidad clara.

Muchas personas vienen a consultarme porque no experimentan la satisfacción que desean tener en su vida. Con frecuencia les aburre su profesión o piensan que su vida no tiene sentido. Muchas dicen no saber lo que les gustaría hacer, pero están seguras de que no es lo que están haciendo en ese momento. Y lo mejor de todo, después de hablar un poco con ellas descubro que en realidad sí saben lo que quieren y lo único que no saben es de lo que son capaces de hacer. Muchas veces descartan las ideas más inspiradas y se conforman con cualquier cosa que les parezca sensata o que se les cruce en el camino.

Sin embargo, las que tienen más energía y están encaminadas son las que se dirigen a un destino inspirado y trabajan por una finalidad definida. Estos hombres y mujeres organizan sus vidas en la dirección de sus inspiraciones sinceras, de manera que para ellas todo adquiere más sentido y resulta más gratificante.

Gene tenía 43 años cuando comenzó a acudir a mi consulta. Trabajaba de arquitecto de jardines en una importante universidad y ganaba mucho dinero, pero se sentía muy poco motivado con su trabajo y su vida. Pensaba que ya había recorrido la mitad del camino y que todavía no sabía qué deseaba hacer realmente. Sin embargo, mientras hablábamos presentí que tenía un sueño oculto que por algún motivo descartaba. Le hice varias preguntas sobre sus aficiones y sobre las cosas que le gustaba hacer después del trabajo y así comenzó a surgir un patrón. ¡Le encantaban las actividades al aire libre! Precisamente eligió la especialidad de arquitectura paisajística porque pensó que eso le permitiría trabajar con frecuencia en el exterior. Pero lo cierto es que los diez últimos años se los había pasado la mayor parte sentado en una oficina, vestido con traje y corbata, haciendo papeleo y delegando los trabajos que le gustaban en su personal.

—Cuando era joven me imaginaba lo fabuloso que sería ser guardabosques y ganar dinero por hacer excursiones, hermosear senderos y cuidar el parque. Pero ahora no podría aceptar unos ingresos tan reducidos. En ninguno de los trabajos al aire libre que me gustan pagan lo suficiente para mantener a mi familia. Por lo tanto sólo me dedico a buscar algo diferente, que por lo menos sea mejor de lo que hago ahora.

Gene estaba atrapado en la ilusión de que para ganar la misma cantidad de dinero o más tenía que conformarse con un trabajo menos satisfactorio que el que realmente deseaba. De hecho, se sentía tan seguro a este respecto, que no había hecho ninguna indagación sobre otras opciones profesionales que le ofrecieran los ingresos que deseaba. Tampoco había considerado la posibilidad de crear su propia empresa ofreciendo su pericia y conocimientos a particulares, organismos forestales o a terratenientes. Le recomendé que dedicara al menos diez horas a explorar otras opciones profesionales que le parecieran verdaderamente inspiradas.

Un día, al cabo de unas semanas, casi irrumpió en mi consulta como un torbellino de energía para decirme que ya sabía lo que le gustaría hacer: «Asesor de administración de tierras».

Después de descubrir que ya tenía contactos suficientes para empezar a trabajar a última hora de la tarde y los fines de semana, calculó que en tres o cinco años podría ponerse por su cuenta. Pero sólo tardó dos años en ganar 80.000 dólares al año, mucho más de lo que cobraba con su puesto en la universidad. Entonces me dijo: «Una vez que supe exactamente hacia donde quería ir y vi que usted estaba seguro de que encontraría la manera de llegar allí, comprendí que era capaz de hacerlo».

Gene se sintió inspirado y estimulado al saber que podía convertir su diversión en vocación.

Hace poco recibí unas hermosas fotografías que tomó mientras estaba haciendo su trabajo de consultor cerca del Parque Nacional Gran Cañón. En su nota decía: «Estos últimos cinco años han sido los más gratificantes de mi vida. Me encanta mi trabajo, valoro más mis habilidades, disfruto más de mi familia y todo en mi vida ha adquirido más sentido y energía».

Seguir el sueño del corazón

Confía en tu corazón, jamás te niegues a escucharlo. Es una especie de oráculo personal que suele predecir lo más importante.

Baltasar Gracián y Morales

- Conocemos la esencia del sueño de nuestro corazón, pero tal vez no sabemos que la conocemos.
- Cuando nos veamos vacilantes y a la deriva, señal de que hemos sintonizado con el sabio guía del corazón y el alma.
- La motivación aumenta milagrosamente cuando empezamos a seguir el sueño de nuestro corazón.
- No hay nada que reemplace a la acción. Comienza ya.

Seguir el sueño del corazón es como seguir el Camino de Ladrillos Amarillos hacia Oz. Nos toparemos con la adversidad en el camino, e incluso con una o dos brujas malvadas, pero estas dificultades las encontraremos sea cual sea el camino que tomemos. Y puesto que hagamos lo que hagamos vamos a experimentar dolor y placer en la vida, bien podemos elegir el camino que nos ofrezca la mayor satisfacción y que, en última instancia, es el más iluminado.

Hace poco, durante un almuerzo en uno de mis restaurantes predilectos de Houston, tuve el placer de conocer a una niñita de seis años muy elocuente, Emily. Se acercó a mi mesa y me dijo:

—Usted es el doctor Demartini.

—Pues sí.

—Yo me llamo Emily. Soy de Tennesee.

En ese momento mis ojos se encontraron con los de una mujer que estaba sentada en una mesa cercana y que había sido paciente mía de quiropráctica hacía más de seis años, Melissa. Comenzó a pedirme disculpas por la interrupción de su hija, pero antes de que lograra hacerlo la niña se encaramó en la silla del otro lado de mi mesa y me dijo:

—Mi mamá me dijo que usted le había curado la espalda y que desde entonces puede cogerme en brazos y jugar conmigo.

—No quería interrumpirle —dijo Melissa, que también se había acercado a la mesa—, pero puesto que Emily ya lo ha hecho, ¿tiene un momento?

Las invité a sentarse conmigo para comer y Melissa comenzó a contarme la cadena de acontecimientos que le habían sucedido desde su recuperación de su problema de la espalda:

Toda mi vida había deseado ser maestra de escuela, pero, como usted sabe, los problemas con la espalda que había tenido desde que era niña, sólo me permitían estar de pie un máximo de diez minutos sin sentir dolor. Así que primero me metí a secretaria, después a ayudante de contaduría y por último trabajé de estenógrafa. Estaba convencida de que nunca podría ser maestra, de modo que siempre traté de buscar otros trabajos que pudiera tolerar.

Me acuerdo que cuando vino a verme acababa de dar a luz a Emily. Por aquel entonces me dijo que siempre había aceptado sus problemas de espalda como parte de su vida, pero que cuando tuvo a Emily sintió un profundo deseo de sanar para poder hacer más cosas con su hija.

Usted fue el primer médico que creyó que mi espalda podía sanar y que yo era lo bastante fuerte como para hacer lo que fuera que deseara hacer. Su seguridad me permitió empezar a soñar con tener la suficiente fuerza para jugar con Emily, y a pensar que tal vez algún día podría ser maestra. Descubrí una nueva fuerza en mí y una nueva determinación de sanar para enseñar.

Le dije que me alegraba verla tan bien, y le pregunté qué la había traído a Houston.

—Bueno —contestó con orgullo—, gracias a usted estoy aquí para asistir a un congreso de profesores.

Concentrarse en el objetivo principal

Jamás bajes la vista para comprobar cómo está el suelo antes de dar el siguiente paso; sólo aquel que tiene fijos los ojos en el horizonte, encontrará el camino correcto.

Dag Hammarskjöld

• Las afirmaciones nos conectan con lo que vamos a hacer.

- La ecuanimidad, el aplomo, la serenidad y la paz interior son señales de que estamos progresando.
- Mantengamos los ojos fijos en el objetivo principal, y no sólo en la parte más inmediata del camino.
- Las barricadas y obstáculos son oportunidades para aprender el amor incondicional y para sanar las heridas hechas por nuestras ilusiones engañosas.

Cuanto más nos concentramos en nuestra finalidad o meta principal de la vida, más nos atraemos a las personas, lugares, situaciones y recursos que pueden ayudarnos en el viaje. En realidad, permanecer centrados en el objetivo principal, o finalidad última, es la manera más eficaz de llegar allí. No obstante, podemos caer en la tentación de poner más energía en los obstáculos y desvíos del camino que en la más deseada misión, lo que nos podría llevar a convertir en hábito atender esos obstáculos y desvíos, además de sus tentaciones y tarde o temprano esto nos conduciría a la falsa conclusión de que no podemos hacer realidad nuestros sueños.

Pero no es necesario caer presas de esa ilusión. Si nos fijamos en el equilibrista, vemos un ejemplo perfecto de persona que mantiene los ojos fijos en su objetivo principal, sin mirar ni una sola vez el camino por el que anda. Cuando tenía ocho años más o menos me sorprendió mucho ver a un niño de mi edad caminar por la cuerda floja en el circo. Un rato después, mientras esperaba en la cola para comprarme un helado, vi que estaba detrás de mí y le pregunté:

—¿Cómo puedes caminar por la cuerda sin mirarla?

—Es la única manera de hacerlo —me contestó—. Hay que mantener los ojos fijos en la tarima del otro lado, porque de lo contrario, me caería cada dos por tres.

Y después que compráramos el helado me dijo:

—Acerquémonos a ese bordillo y te demostraré lo que quiero decir.

Nos acercamos y me puse a practicar un rato. Enseguida me di cuenta de que si mantenía fija la mirada en la señal de Stop de la esquina, podía aguantar el equilibrio; y que si la bajaba o miraba el trozo que me faltaba, me caía. Aunque nunca he vuelto a ver a ese niño funámbulo, debo reconocer que fue uno de mis mejores maestros y que la lección que me enseñó me ha servido para toda la vida.

La verdad es...

Un obstáculo es algo que se ve cuando desviamos los ojos de la meta.

Anónimo

- Cuando sabemos adónde vamos y seguimos la orientación del corazón y del alma, tenemos un viaje más satisfactorio.
- Cuando no estamos concentrados en nuestra finalidad principal, los vientos del cambio y la indecisión pueden zarandearnos como una barca de remos en una tempestad.
- Cuando seguimos el sueño de nuestro corazón, nos llenamos de energía, entusiasmo y motivación.
- Cuando nos concentramos en el objetivo principal de nuestra vida saltamos fácilmente las vallas.
- Cuando nos concentramos en la curación, sanamos.
- Cuando seguimos el camino de nuestra inspiración, se nos fortalece el cuerpo, se nos agudiza la mente y nos sumergimos en el poder sanador del amor incondicional.

Reflexiones

En la vida, en la guerra o en cualquier otra situación, sólo triunfamos cuando identificamos un solo e imperioso objetivo y doblegamos todas las demás consideraciones a ese único objetivo.

Dwight D. Eisenhower

1. Dedica unos momentos a contemplar tu vida y a determinar si estás en el camino que deseas estar.
2. En caso afirmativo, cierra los ojos y dedica los siguientes diez minutos a concentrarte en tu finalidad o dirección deseada. Si no es así, ciérralos e imagínate haciendo las actividades que más te motivan.
3. Recuerda alguna ocasión en la que tu creatividad o ingenio te sirviera para eliminar o sortear las dificultades. Reconoce y agradece tu capacidad de perseverar.
4. Recuerda una ocasión en que tener los ojos fijos en tu objetivo principal te sirviera para continuar por el camino y mantener el equilibrio.

Realizaciones

Estáte en paz y ve el plan y la forma claros que discurren por toda tu vida. Nada ocurre por casualidad.

Eileen Caddy

1. Contempla tu futuro y escribe lo que te gustaría ser, lo que te gustaría hacer y lo que te gustaría tener.

2. Clarifica las principales prioridades de tu vida escribiendo tu propio epitafio. Supón que vas a vivir hasta los cien años por lo menos.

3. Tómate entre tres y cinco minutos para agradecer tus inspiraciones. Pide cualquier orientación que necesites recibir en el momento oportuno y cree que la recibirás.

4. Elabora un álbum de imágenes que representen tus respuestas a las dos primeras preguntas. Pueden contener fotos tuyas, imágenes recortadas de revistas o dibujos hechos por ti. Se trata de crear una representación visual de tus sueños inspirados que apoyen tus afirmaciones verbales con detalles visuales.

Afirmaciones

- Tengo la sabiduría para seguir el sueño de mi corazón.
- Estoy concentrado/a en mi finalidad y destinado/a a hacerla realidad.
- Agradezco las oportunidades que me ofrecen los obstáculos y tengo el estímulo y la confianza en mí para saltar por encima de ellos.
- Uso el infinito poder del amor incondicional para fortalecer y sanar mi cuerpo con el fin de realizar mis sueños inspirados.

8

Todas las limitaciones están en la cabeza

Hazlo y tendrás el poder.

Ralph Waldo Emerson

¿Estamos en el camino?

Muchas personas tienen una larga lista de motivos para explicar por qué no están haciendo lo que les gusta, pero muy pocas analizan objetivamente esos motivos y buscan sus miedos subyacentes. La realidad es que detrás de toda limitación imaginada, e incluso enfermedad, se oculta un miedo. Aunque nos sintamos tentados de culpar de nuestros problemas a otras personas o a circunstancias externas, tarde o temprano nos damos cuenta de que somos nosotros quienes nos atraemos y creamos las limitaciones. Y si bien esta puede ser una realidad humillante, también es inspiradora.

Puesto que somos nosotros los que nos atraemos o nos creamos las limitaciones, también podemos superarlas sin necesidad de reprimirlas, negarlas ni desentenderse de ellas, sino aprendiendo a amarlas. ¡Sí!, a amarlas, porque cualquier cosa que no amemos nos domina e inhibe nuestros actos inspirados a través del miedo. Nuestras limitaciones representan todos los aspectos de nosotros mismos y de los demás que no hemos aprendido a amar y a valorar. Así pues, cada vez que alcanzamos un límite u obstáculo, nos damos la oportunidad de amar y de acceder a un plano superior de conocimiento y conciencia.

Todos tenemos la creatividad y capacidad de elevarnos por encima de nuestras limitaciones. Pero a veces esas limitaciones nos parecen agradables y la idea de realizar nuestros sueños nos asusta; es entonces cuando nos sentimos tentados de sabotear nuestros esfuerzos. Ese es el marco mental en el que se encontraba Jeremy, un hombre al que conocí en uno de mis viajes en avión. Yo estaba concentrado trabajando con mi ordenador portátil cuando él se sentó a mi lado y se presentó. Me preguntó qué estaba haciendo y yo le dije que escribía un libro sobre la conexión entre la mente, el cuerpo, el corazón y el alma, y sobre las virtudes sanadoras de la inspiración y el amor incondicional. Él asintió con la cabeza y en sus ojos apareció una expresión vaga y soñadora, pero la siguiente media hora permaneció en silencio. Sólo volvió a hablar cuando la azafata nos trajo la comida.

—Me parece increíble que esté sentado al lado de alguien que está escribiendo un libro —me dijo—. No se imagina cuánto tiempo he deseado escribir uno. Pero, ¿cómo puedo pasar del deseo de escribir un libro y de hablar sobre ello, a hacerlo realmente?

Le expliqué que lo único que separa el deseo de escribir un libro y escribirlo es dar los pasos para hacerlo.

—Cuando comienzo a escribir un libro sé que es un proceso durante el cual la obra va a cambiar.

—Así que simplemente lo hace —comentó él con los ojos muy abiertos—. Escribe una página, luego otra, mira lo que ha escrito, y si no le gusta algo, va cambiando las cosas, pero sigue escribiendo hasta obtener el libro que desea.

—Sí, eso es más o menos lo que hago.

Jeremy movió la cabeza sonriendo.

—No tiene idea de lo mucho que significa para mí eso que acaba de decir. Durante años he tenido miedo de escribir una sola palabra en mi ordenador, como si se tratara de tallar en la piedra o algo así. ¡Escribir un libro es como hacer cualquier otra cosa! No tiene por qué ser perfecto desde el comienzo, nada lo es. Todo lo que hago es un proceso… ¡Caramba!

No he vuelto a ver a Jeremy después de esa conversación, pero estoy seguro de que está mucho más cerca de escribir un libro de lo que lo estaba antes de comprender que era él quien se creaba sus limitaciones.

Cualquier cosa que nos moleste o no amemos, nos obstaculiza y detiene

Siente el miedo, pero no permitas que te detenga.

Anónimo

- Cuando permitimos que algo que nos disgusta nos impida seguir nuestros sueños inspirados, continuamos atrayéndonos sus lecciones hasta que lo encaremos y aprendamos a amarlo.
- Cuando aprendemos a amar lo que consideramos un obstáculo, agradecemos la lección y la experiencia que nos ofrece.
- Cuando permitimos que lo que nos disgusta nos aumen-

te el miedo, perdemos de vista la meta y sólo vemos los obstáculos en el camino.

- Cuando dejamos que el miedo tome nuestras decisiones cae a plomo nuestra propia estima.

Somos seres humanos, y eso nos garantiza que vamos a experimentar desagrados. En realidad, sentir desagrado o incomodidad es un regalo maravilloso pues nos muestra con certeza que hay un aspecto o situación que nos hace falta aprender a amar. Cuando nos enfrentamos y aprendemos a amar los obstáculos y mensajes de enfermedad que surgen en el camino, derrotamos los miedos y avanzamos en la vida. Los miedos y desagrados podemos considerarlos los peldaños de la escala que llega hasta el sueño inspirado. Cada vez que llegamos al siguiente peldaño aprendemos a amar algo nuevo y estamos un paso más cerca del objetivo.

Me encontraba en California dirigiendo Profecía, uno de mis programas para el éxito personal, cuando conocí a Lee, un hombre de mucho talento. Se había inscrito en el programa para aclarar su visión de la vida y conocerse mejor a sí mismo. Trabajaba en la industria de los dibujos animados, pero lo que de verdad deseaba era abrir su propio estudio fotográfico.

—Llevo más de diez años soñando con esto —me dijo—, pero lo único que he hecho es pensar en él.

Le ayudé a identificar sus miedos y ansiedades respecto a iniciar su propio negocio; muy pronto logró distinguir dos miedos dominantes.

—No me gusta hablar con gente que no conozco, y la verdad es que me desagrada hacer publicidad de mi trabajo.

Yo sabía que exageraba los inconvenientes e infravaloraba los beneficios de hablar con personas desconocidas y promocionarse a sí mismo. Le pedí que hiciera una lista de setenta beneficios y setenta inconvenientes sobre estas dos cosas que temía. Al principio intentó evitar este ejercicio equilibrador.

—Para empezar puedo decir, que no existen, ni de cerca, setenta beneficios de ninguna de estas dos cosas —exclamó.

Entonces sugerí que los demás participantes comenzaran a trabajar con su primer miedo: hablar con personas a las que no conocía. A los cinco minutos ya había veinte beneficios anotados en la pizarra y Lee aceptó continuar él solo. Cuando me acerqué a ver cómo le iba, me comentó:

—¡Es increíble! Ahora que tengo la lista de beneficios me cuesta llenar la columna de inconvenientes.

Estaba comenzando a ver con claridad que había hinchado sus miedos hasta hacerlos desproporcionados y puesto más fe en ellos que en sí mismo. Cuando acabó el ejercicio empezó a reírse a carcajadas de algunas de las cosas que había escrito.

—Me parece increíble que haya ido postergando lo que deseo hacer con mi vida durante tanto tiempo sólo porque creía que tenía que superar mis miedos primero —comentó—. Ahora veo que en realidad no hay tantas cosas a las que temer.

Actualmente, el estudio de fotografía de Lee es una empresa próspera y, además de la publicidad que él mismo se hace, tiene contratados dos publicistas.

La valía personal es un estado mental

Lo que piensa un hombre de sí mismo es lo que determina o, mejor dicho, indica su destino.

Henry David Thoreau

• Nada ni nadie nos puede animar más de lo que estamos dispuestos a animarnos nosotros mismos.

- Nada ni nadie nos puede desalentar más de lo que estamos dispuestos a desalentarnos nosotros mismos.
- Nadie nos puede animar más de lo que podemos animarnos nosotros mismos.
- Nadie nos puede desalentar más de lo que podemos desalentarnos nosotros mismos.

Cuando alguien nos elogia o nos reprende, lo único que hace es darnos su opinión y su percepción sobre nuestros actos. Las opiniones de los demás sólo tienen el poder de hacernos sentir mal o bien si reflejan nuestra propia opinión. Uno decide lo que siente, y los sentimientos se basan en los propios valores.

Por ejemplo, en muchos países se considera bueno llegar a la hora cuando se es invitado a comer, de modo que complir con este requisito es digno de alabanza. Pero en otros, es más educado llegar un poco tarde, por lo que llegar a la hora podría estar mal visto. Pero lo cierto es que llegar o no a la hora no tiene nada de bueno ni malo; simplemente es llegar a la hora o un poco tarde, y sólo se convierte en algo bueno o malo cuando se le pone esa etiqueta. Así pues, buscar elogio y evitar reproches puede convertirse en un juego de locos.

Muchas personas van por la vida tratando de recibir elogios y evitar reproches, ya que para ellas las opiniones de los demás definen su valía personal. Sin embargo, las que viven escuchando la orientación de su corazón y su alma son las que comprenden que han de ser fieles a sí mismas, al margen de las opiniones que los demás tengan de ellas.

La verdadera valía personal nace del interior, por lo que cuando estamos concentrados en una finalidad inspirada, ni las alabanzas ni las reprimendas pueden desviarnos del camino. La madre Teresa es un ejemplo de persona serena y ecuánime, que no se desvía de su camino por muchas aflicciones o elogios que reciba. Tiene el poder de reunir increíbles sumas de dinero para sus causas porque está inspirada. No permite que sus incomodidades o desagrados le impidan realizar su misión. No reconoce el rechazo. Camina con la certeza de que sus oraciones serán escuchadas, y son escuchadas.

Hace unos dos años asistió a la Experiencia Descubrimiento Brenda, una mujer que lo estaba pasando muy mal con su jefa y llevaba cerca de un año buscando otro trabajo.

—¿Qué tipo de trabajo busca? —le pregunté.

—Me da igual. Lo que sea. Lo único que quiero es alejarme de mi jefa. Me está amargando la vida. Todos los días cuando salgo del trabajo me siento asqueada. Pero ni siquiera consigo presentarme a una entrevista —añadió—. Tengo la impresión de que no valgo para competir con toda esa otra gente; cuanto más me rechazan más desanimada me siento para llenar otra solicitud de empleo.

Brenda estaba experimentando la sensación de valer muy poco. Creía en las opiniones de los demás en lugar de creer en sí misma. Le expliqué que la valía personal es un estado mental; que ella podía elegir aceptar las opiniones de otras personas o mirar dentro de sí misma para encontrar la verdad.

Esa noche, cuando los participantes dieron por terminado el *Collapse Process*, ella comprendió que esa sensación de valer muy poco le había comenzado de pequeña:

Cuando era pequeña deseaba muchísimo complacer a mi padre, pero hiciera lo que hiciera él siempre me decía que podía hacerlo mejor. Y ahora, mientras estaba trabajando en el *Collapse Process* he descubierto que yo hago lo mismo con mis hijos. La semana pasada, sin ir más lejos, mi hija Andrea llegó de la escuela con cuatro sobresalientes y dos notables en su libreta de notas. Y ahora acabo de darme cuenta de que en lugar de felicitarla le dije: «Sabía que eras capaz, y te apuesto a que si te esfuerzas un poco más puedes lograr todo sobresalientes».

Cuando Brenda vio la semejanza entre lo que ella le había dicho a su hija y lo que le decía su padre, comprendió que su sensación de no valer lo suficiente nacía de lo que en su infacia le había parecido entender de las palabras de él.

—Cuando vi las notas de mi hija me sentí orgullosa de ella y deseé de todo corazón hacerle comprender que creo totalmente en su capacidad. Y ahora entiendo que mi padre también se sentía orgulloso de mí y creía en mí.

La verdad es...

Todo lo que ensancha la esfera de los poderes humanos, y que demuestra que el hombre es capaz de hacer lo que creía que no podía tener, es valioso.

Samuel Johnson

- Siendo verdaderamente humildes y sinceros con nosotros mismos revelamos nuestra verdadera capacidad y expresamos nuestra mayor valía.
- Cuando hacemos lo que nos gusta y amamos lo que hacemos, experimentamos la sensación de verdadera valía personal y nos atraemos como un imán a las personas, lugares, cosas, ideas y circunstancias que nos pueden ayudar a realizar nuestra finalidad en la vida.
- La verdadera valía personal es directamente proporcional

a la gratitud y amor incondicional que sentimos por la vida.

- Aquello que agradecemos nos sana.

Reflexiones

Nada noble se puede hacer sin riesgos.

Michel Eyquen de Montaigne

1. Piensa en alguna ocasión en que saboteaste tu trabajo porque te resultaba desagradable dar el siguiente paso.
2. Piensa en alguna ocasión en que te resultaba desagradable dar el siguiente paso pero, en que de todas maneras lo diste. Recuerda la sensación de consecución que experimentaste.
3. Cierra los ojos e imagínate dando un paso agradable hacia tu sueño inspirado, un paso que por el momento te resulta desagradable dar.
4. Aquello que agradeces crece. Dedica un momento a agradecer la valía que ya posees.

Realizaciones

Erramos el ciento por ciento de los tiros que nunca disparamos.

Anónimo

1. Escribe los pasos que deseas dar, pero que te desagradan, hacia uno de tus objetivos.
2. Rodea con un círculo el paso que más te desagrada o que te produce el mayor miedo o ansiedad.

3. Prométete dar durante los siete días siguientes el paso rodeado con un círculo. Prográmalo en tu agenda y trátalo como tratarías un compromiso o promesa que has hecho a un amigo.
4. Planea algo especial para celebrar que has cumplido tu promesa y da el segundo paso hacia tu objetivo.

Afirmaciones

* Agradezco todo lo que soy, todo lo que hago, todo lo que tengo.
* Agradezco todo lo que se me presenta en el camino.
* Estoy dispuesto/a a aceptar los beneficios y los inconvenientes de avanzar hacia mi objetivo.
* Valgo todo lo que creo que valgo, y nadie puede desalentarme ni alentarme más de lo que yo me desaliento o animo.
* Experimento el poder sanador del amor incondicional, que no tiene límites ni restricciones.

9

Cuanto más clara es la finalidad, mejor la realizamos

Cuando uno está inspirado por una gran finalidad, un proyecto extraordinario, todos los pensamientos se liberan, la mente trasciende las limitaciones, la conciencia se expande en todas direcciones y uno se encuentra en un mundo nuevo, grandioso y maravilloso. Se avivan las energías, facultades y talentos latentes y se descubre que se es una persona muy superior a lo que jamás se ha soñado ser.

Patañjali

¿Qué hacemos aquí?

Desde el principio de la historia, la gente se ha hecho las preguntas: «¿Para qué estoy aquí?», «¿Qué debo hacer?» y otras similares. Podemos buscar fuera las respuestas, y muchas personas lo hacen, pero las más inspiradas vienen del interior.

Cuando escuchamos nuestra voz interior podemos oír la llamada de la vida o finalidad inspirada, y tan pronto comenzamos a realizar esa finalidad experimentamos un nuevo grado de amor incondicional y gratitud y una mejor salud, a la vez que nos sentimos estimulados a realizar sueños que en otro tiempo podrían habernos parecido imposibles.

A lo largo de la historia, los seres que han escuchado su voz interior y seguido su visión han dejado su huella en el mundo. Hombres y mujeres como Juana de Arco, Galileo, Isaac Newton, Marie Curie, Susan B. Anthony y Albert Einstein, siguieron una vocación y visión interior. Estas personas inspiradas fueron en pos de sus metas y al hacerlo experimentaron satisfacción y ofrecieron a nuestras vidas aportaciones duraderas. Cuando consagramos la vida a nuestra vocación inspirada producimos un efecto inmortal en el mundo.

Es posible que todavía no hayas oído tu finalidad inspirada o vocación interior, pero te aseguro que en tu corazón y alma vive una finalidad iluminadora, una tan profunda que te sobrecogería su brillo y magnificencia si se desarrollara toda de una vez. Ese deseo interior de conocer el sentido de tu vida es el de descubrir tu finalidad y actuar para realizarla. Cuanto más clara y definida es la finalidad más en línea estamos con el poder y los recursos infinitos del Universo.

Cuando enfocamos la atención hacia una finalidad clara y definida, el corazón y el alma nos guían para dar pasos juiciosos y nos motivan con amor incondicional. Cuando pensamos en nuestra finalidad y damos los pasos necesarios para llevarla a cabo nos elevamos a un plano de mayor entendimiento y experimentamos más amor y gratitud por nosotros mismos, por los demás y por el mundo. Cuanto más nos centramos en la misión de nuestra vida más sentido adquiere ésta.

Sin una finalidad clara, la persona puede oscilar, como

un gigantesco péndulo, de un extremo a otro en sus pensamientos, emociones, actos y omisiones. Ese fue uno de los motivos que me inspiró a crear la Experiencia Descubrimiento. Tenía la dicha de estar viviendo una vida inspirada de finalidad y deseé hacerles partícipes a otras personas de lo que había aprendido y experimentado.

Hace ya casi siete años asistió a la Experiencia Descubrimiento un joven llamado Greg. Por aquella época tenía 43 años, trabajaba en una fábrica, estaba soltero y se sentía muy deprimido. Me dijo que durante años se había hecho la pregunta «¿Y esto es todo lo que hay?». «Una parte de mí cree que sí, pero la otra, más o menos situada en un rincón de mi mente, me dice que no, que hay más y supongo que he venido a este mundo para descubrirlo.»

Ya más avanzado el programa, Greg nos contó que le gustaba tocar el piano. Fuera de la sala donde estábamos reunidos, en el corredor, había uno, y cuando nos tomamos el descanso para comer, nos tocó una pieza muy difícil de Bach. Tenía muchísimo talento, pero era su amor por la música y su espíritu inspirado lo que lo distinguía de otros pianistas que yo había oído tocar. En realidad era uno de los más inspirados que he tenido el privilegio de escuchar y disfrutar.

Más adelante, mientras estaba trabajando con su afirmación de su finalidad, me miró con los ojos empañados por las lágrimas y me dijo:

—Me tiembla la mano. Es increíble lo difícil que me resulta escribir esto.

Le sugerí que mirara dentro de su corazón y se preguntara qué le gustaba hacer realmente y que se sentía llamado a hacer. Me miró y después se miró las manos.

—Siempre he creído que la música sólo era un pasatiempo, pero ahora veo que tengo un don que debo compartir.

Tan pronto como se permitió decir esas palabras, su finalidad inspirada comenzó a cristalizar en su mente y en su corazón.

Ese fin de semana Greg se marchó con un enfoque claro y con pasos de acción definidos para comenzar a realizar su finalidad. Desde entonces ha actuado ante numerosas personas que han sabido valorar su talento. Cuando toca, en cada nota se aprecia el amor y la gratitud que siente por su don y por la música y su inspiración conmueve el corazón de quienes lo oyen tocar.

La finalidad trasciende los objetivos

Al sintonizar con lo infinito, circula por nosotros la inspiración, el poder creativo y la energía.

Paramahansa Yogananda

- La finalidad es la orientación del corazón y del alma para la vida.
- Cualquier cosa que podamos realizar no es la finalidad; las consecuciones son peldaños.
- Los objetivos son los peldaños necesarios para realizar nuestra verdadera finalidad.
- Toda consecución es pasajera, de modo que hemos de esforzarnos inexorablemente por alcanzar una finalidad duradera.

La finalidad trasciende los objetivos; trasciende nuestra vida. Es la visión vibrante y armonizadora que se hace eco de nuestra mente interior. La finalidad es una visión para toda la vida. Aún en el caso de que sólo se realice una parte de esa visión durante la vida, todo el mundo quedará deslumbrado por la expresión de nuestro genio.

Los objetivos y metas que conseguimos mientras realizamos nuestra finalidad construyen la escalera hacia las estrellas. El logro de cada objetivo va a entrañar ciertamente agrados y desagrados, y cuanto más agradezcamos lo que aprendemos y recibimos, más inspiración tendremos para construir el siguiente peldaño o paso.

Recuerdo a tres jóvenes propietarios de una empresa de programas informáticos que vinieron a consultarme porque aunque ya habían llevado a cabo la visión que les había dado impulso, no sabían adónde ir a partir de allí. Estaban perdiendo interés en los trabajos de cada día y los beneficios que hacían eran inferiores a los que habían hecho en los doce años anteriores. Durante la conversación que mantuvimos me di cuenta de que lo que llamaban su visión era en realidad un objetivo a largo plazo que se habían fijado cuando crearon la empresa. Ese objetivo era convertirla en un negocio de un millón de dólares. Alcanzada esa meta, pensaban que ya habían llegado al máximo de la capacidad de su empresa.

Juntos trabajamos para crear una afirmación de visión-finalidad inspirada; cuando terminamos comprendieron que construir una empresa de un millón de dólares sólo era el primer paso para expandirse por los demás países. Pero más allá de ese siguiente objetivo, definieron la finalidad de convertirse en una empresa de programas que constantemente identificara y satisficiera las necesidades que fueran surgiendo, parecieran posibles o no.

Una vez que tuvieron una visión superior a la anterior y una misión en la que podían continuar trabajando toda la vida, se sintieron estimulados, motivados para actuar y vibrantes nuevamente de ideas creativas.

Consagrar la vida a la finalidad

El compromiso abre las puertas de la imaginación, facilita la visión y
nos da lo que necesitamos para hacer realidad nuestros sueños.

James Womack

* Cuando dedicamos o comprometemos la vida a nuestra
  finalidad, de inmediato el Universo comienza a apoyar-
  nos y a recompensarnos.
* Cuando escuchamos constantemente nuestra voz interior y atendemos a nuestra visión interior, recibimos
  orientación en el camino
* Cuando nos concentramos en nuestra finalidad nos hacemos una idea clara del éxito.
* Cuando estamos estrechamente conectados con nuestra
  finalidad, todas las células del cuerpo se unen para trabajar como un equipo triunfador, ayudándonos a realizar la
  misión y recompensándonos con salud y vitalidad.

Cuando consagramos la vida a una finalidad inspirada,
todo adquiere más sentido y experimentamos la plenitud que
la vida nos quiere ofrecer. Por el contrario, si no estamos realizando la inspiración, la vida puede parecernos un vagar sin
rumbo en el desierto de los sentidos, un reaccionar ante las
circunstancias y el entorno como si estuviéramos a su merced.
Ciertas preguntas, como las de «¿Esto es todo?» y «¿Por qué
me siento como si me faltara algo en la vida?» nos ofrecen la
motivación y punto de partida para conectar con la llamada
de la vida. Una vez que descubrimos nuestra misión única y
nos comprometemos a realizarla con actos concretos, nos en-
caminamos hacia la vida que deseamos vivir.

En física, cualquier cosa que no cumple su finalidad se

autodestruye. Este es el modo que el Universo tiene de reciclar la energía. Y lo mismo vale para la de las personas. Cuando no realizamos nuestras inspiraciones nos vemos viviendo vidas de desesperación, nos creamos confusión en la mente y enfermedades en el cuerpo. No se trata de castigos, sino simplemente de los efectos de no haber sabido aprovechar lo que tenemos o de no hacer lo que nos gusta hacer. Son mensajes que nos permiten saber que mentalmente vamos a la deriva.

Hace unos diez años vino a verme Michelle. Trabajaba de ayudante de profesor en un programa de alfabetización de adultos, pero su verdadero deseo era ser profesora.

—Me encanta leer y sé que puedo ayudar a otros a aprender a hacerlo. Escucho lo que dicen los profesores y me siento capaz de hacer lo mismo. Además —añadió sonriendo—, tengo mis propias ideas.

Le pregunté qué le impedía realizar su vocación de enseñar a leer. Me explicó que cuando estaba estudiando se quedó embarazada y que por lo tanto no recibió el diploma. Perdió la visión de ser maestra, una cosa llevó a la otra y, ahora, pensaba que ya era demasiado tarde para ir en pos de su llamada. Para ella sólo era un sueño perdido del pasado.

—Michelle, ¿cuántos años piensa vivir?

Ella me miró extrañada, algo sorprendida por la pregunta.

—Bueno, sólo tengo treinta y uno. Espero vivir por lo menos otros cincuenta.

—Estupendo. Ahora bien, ¿cuánto tiempo necesitaría para convalidar sus estudios de enseñanza secundaria?

—Quizá podría hacerlo en un año —contestó.

—Así que tenemos un año —dije—. Añadamos otros cuatro para sacar el título de bachiller en educación. —Ella asintió—. O sea que, veamos, eso le deja cuarenta y cinco años para enseñar.

Después de eso la vi una vez más para ayudarle a hacer un plan de acción. Una vez que se comprometió con su finalidad y se sintió inspirada en su vocación, no hubo quien la parara. Actualmente tiene su título de bachiller en educación y su certificado de maestra.

La verdad es...

Toda vocación es grande cuando se sigue con grandeza.

Oliver Wendell Holmes, hijo

- Cuando nuestra principal prioridad es seguir la orientación del corazón y del alma, oímos nuestra sabiduría interior.
- Nuestra finalidad inspirada impregna de amor todas nuestras células y su agradecida energía impulsora produce actos y servicios valientes que crean éxito y satisfacción.
- Una finalidad definida es uno de los caminos más claros y brillantes hacia la salud.
- Cuando comprometemos la vida con nuestra vocación inspirada dejamos un efecto inmortal en el mundo.

Reflexiones

La finalidad de la vida es una vida de finalidad.

Robert Byrne

Este ejercicio de reflexión te servirá para conectar con tus inspiraciones. Dedícale un mínimo de veinte minutos la primera vez que lo hagas. (Tal vez decidas repetirlo. En ese caso, recordarás más detalles y adquirirás nuevos conocimientos o percepciones.) Lee todas las instrucciones antes de comenzar.

Siéntate en un sillón cómodo, con los pies apoyados en el suelo y los brazos en una posición relajada.

Controla la respiración: entre 5-10 segundos para la inspiración y 5-10 segundos para la espiración (elige la duración de la inspiración y espiración que te resulte más natural y cómoda). Continúa respirando así y cierra los ojos.

Con los ojos cerrados imagínate entrando en un teatro que tiene una pantalla enorme al fondo. Estás solo y puedes ocupar el asiento que quieras.

Una vez que te hayas sentado, pulsa el botón de inicio situado en el brazo de la butaca. En la pantalla verás la película de tu vida, que comenzará con tu primer recuerdo.

Apóyate cómodamente en el respaldo y disfruta de todos y cada uno de los momentos. Presta especial atención a los que te hacen sonreír. Ríe y llora con alegría. Siéntete inspirado/a. Tu película continuará hasta el día de hoy, hasta este mismísimo momento.

Ahora abre los ojos, da las gracias por ti mismo y por las personas que han conformado tu vida y siente gratitud por todo lo que eres, haces y tienes.

Realizaciones

Para hacer grandes cosas hemos de vivir como si nunca fuéramos
a morir.

Luc de Clapiers de Vauvenargues

Escribe tu declaración o afirmación de finalidad y lo que tu corazón te pide hacer el resto de tu vida.

Yo, ..., ante mí y otros, declaro que la
principal finalidad de mi vida es ser: ....
lo que seré haciendo: ....
para poder tener: ....

Firmado

Lee tu declaración todos los días. Llévala contigo, ponla al día y revísala hasta que se convierta en tu obra maestra, en el plan maestro de tu vida. Escucha juiciosamente a tu corazón y él te revelará lo que en tu interior sabes que es la finalidad de tu vida.

Afirmaciones

- Consagro mi vida a mi finalidad inspirada. Voy a dejar un efecto inmortal en el mundo.
- Mi corazón y mi alma me guían para dar los pasos de acción sensatos y me inspiran con amor incondicional.
- Agradezco lo que soy, lo que hago y lo que tengo.
- Estoy realizando mi finalidad inspirada, y todas las células de mi cuerpo están sanando y participando en mi viaje de amor incondicional.

10

Jamás surge un problema que no podamos resolver

Un problema es la oportunidad para hacerlo lo mejor posible.

Duke Ellington

¿Dónde está el revestimiento de plata?

Toda nube tiene un revestimiento de plata, y encontrarlo es una de las formas más seguras de convertir un problema aparente en una bendición. La verdadera sabiduría es la capacidad de ver el beneficio o bendición escondido en toda dificultad, situación, enfermedad o crisis. El revestimiento de plata es siempre tan brillante como oscura es la nube. Y cuando vemos su resplandeciente luz agradecemos el regalo de la dificultad.

Siempre que la vida va sobre ruedas disfrutamos atribuyéndonos el mérito de sus muchas oportunidades. Pero si nos encontramos con lo que nos parece un problema solemos buscar los motivos fuera de nosotros. Ahora bien, cuando miramos más en profundidad descubrimos que lo que parecía un problema es en realidad una oportunidad y la forma de verla es mirarla desde una perspectiva más elevada. Cuando aprendemos a aceptar, y no a negar, la responsabilidad de nuestra forma de pensar y sentir respecto a las experiencias diarias, podemos abrir la mente a las orientaciones de nuestro corazón y alma.

Pero jamás se nos presentan estos supuestos problemas a menos que seamos capaces de resolverlos, ya sea solos o con la ayuda de otras personas. Un Universo ordenado no le pone un complejo problema de cálculo a un niño que está aprendiendo a sumar y a restar, ni le exige que conteste sus enigmas. Sólo se nos regalan las dificultades para las cuales estamos preparados, de modo que es un honor que se nos ponga una compleja, ya que será la oportunidad de demostrar que somos capaces de encontrar el revestimiento de plata y de experimentar más beneficios y más amor. Cuando surgen problemas en la vida, nos beneficiamos de saber que tienen la intención de ofrecernos una finalidad. Están llenos de información y de muchas insinuaciones sobre lo que nos gustaría estar haciendo.

Hace tres o cuatro años me llamó por teléfono Carol, una de mis alumnas. Me dijo que acababan de despedirla de la tienda de tejidos donde trabajaba y que estaba tan inmersa en sus emociones que le resultaba muy difícil ver otra cosa que su desesperación. Le pregunté si ese trabajo la satisfacía.

—No, en realidad no. Siempre he dicho que algún día me gustaría entrar en la sección de vestuario para las obras de Broadway, pero cuesta mucho meterse en esa industria. Mi trabajo en la tienda de tejidos era bueno, y esperaba conservarlo hasta estar preparada para dar el salto.

Le pregunté si su puesto le había servido para acercarse más a sus futuros objetivos; me dijo que había aumentado sus conocimientos sobre telas y estilos de moda, pero que no aprovechaba su profesión de modista y estaba deseosa de saber más sobre la historia de la vestimenta desde 1900 hacia atrás.

—Carol, ¿podría ser esta una oportunidad para hacerlo? —le pregunté.

—¡Podría ser! —exclamó, con la voz animada por primera vez.

Entonces comenzó a enumerar los empleos en los que podría adquirir más experiencia y conocimientos sobre el vestuario a lo largo de la historia. También decidió centrar su búsqueda en Nueva York, para estar más cerca de Broadway. Me dijo que elaboraría un plan de búsqueda y comenzaría a dar los pasos necesarios dentro de tres días.

No habían transcurrido ni tres meses de nuestra conversación cuando recibí una nota de ella en la que me comunicaba que acababa de aceptar un puesto en el departamento de Telas y Ropas Históricas de un museo que estaba a pocas horas de Manhattan.

Todo problema es una oportunidad para aprender y amar

Los problemas son mensajes.

Shakti Gawain

- La función de los problemas es ayudarnos a crecer y a evolucionar.

- Cualquier cosa de la que no vemos los dos lados nos gobierna la vida.
- Siempre tenemos como mínimo cuatro opciones: esto, aquello, ambas cosas o ninguna de las dos.
- Cuando agradecemos lo que es, tal y como es, lo que parece ser un problema se convierte en un acontecimiento que podemos amar incondicionalmente.

Si aceptamos los desafíos presentados por las situaciones difíciles, en nuestro viaje por la vida, el amor disuelve los temores y nos da más fuerza. Las experiencias son pruebas en el camino de la evolución, y cada lección nos ofrece una nueva oportunidad de aprender y experimentar el amor incondicional. Pero cuando la mente exagera el desafío, nuestros pensamientos son dominados, o gobernados, por la situación y no por nosotros.

La realidad es que los problemas son verdaderos regalos. Nos ofrecen la oportunidad de salir de la oscuridad y tristeza del miedo para entrar en la claridad y alegría del amor. Desde el momento que comprendemos que el corazón y el alma nos guían hacia lo que sea que necesitamos para resolver la situación, sabemos que en realidad no hay problemas, sino solamente oportunidades para aprender otra lección en el amor.

Hace poco recibí una carta de agradecimiento de Susan, una mujer que había acudido a consultarme unos cuantos meses antes en compañía de su marido. En la carta me detallaba su percepción de cómo su problema conyugal se había convertido en una bendición. Decía así:

La mañana que me enteré de que mi marido había tenido una aventura con otra mujer durante el embarazo de nuestro quinto hijo, me pareció que todo mi mundo se desmoronaba. Había estado viviendo en la ilusión de que era muy feliz casada con un profesional, con una hermosa casa de campo y cinco hijos maravillosos. Me había convencido de que nuestro matrimonio era el cuento de hadas con que sueña toda chica. (Pero en el fondo sabía que, desde que nació nuestro segundo hijo no todo iba bien en nuestra relación.)

De todos modos, cuando descubrí lo de esa aventura me sentí aniquilada. Fue como si me hubieran robado todo aquello en lo que creía. Como si se hubieran roto todas las promesas y juramentos; como si todas las verdades en que creía fueran falsas y mi vida no fuera otra cosa que una enorme mentira.

Pero a continuación decía que descubrir lo de la aventura fue exactamente el impulso que necesitaba para despertar de su falsa ilusión creada por ella misma.

Ahora, después de terminar el *Collapse Process* que hicimos con usted, siento verdadera gratitud por esa aventura. Sigo casada y por primera vez he sido capaz de ver los beneficios que ha tenido en él, en mí y en nuestra relación. Comprendo que fue una lección, y no existen las palabras para expresarle mi agradecimiento a él por hacerme tomar conciencia de mi falsa ilusión. Su *Collapse Process* es un instrumento que me sirvió para ver una perfección oculta. Es un regalo verdaderamente inspirador. ¡Gracias, doctor John!

El crecimiento máximo se produce en el límite entre el orden y el caos

Sabe que cada Alma se encuentra constantemente consigo misma. No se puede huir de ningún problema. Enfréntalo ahora.

Edgar Cayce

- Es imposible construir sin destruir e igualmente imposible destruir sin construir.
- Tenemos la capacidad de convertir el caos en orden y de beneficiarnos de todos los problemas.
- Cuando nos elevamos por encima de nuestra falsa ilusión de desequilibrio vemos un plan y un orden superiores.
- Cuando descubrimos los beneficios de un problema y estudiamos las lecciones almacenadas en él, se desarrolla nuestra sabiduría.

Los problemas pueden ser momentos de transición maravillosos. Cada prueba es un peldaño en potencia hacia la grandeza. Cuando aprendemos su lección de amor, pasamos a la siguiente, que suele ser más difícil y también más gratificante. Así como aprobar un curso en la escuela nos permite pasar a otro más difícil, también nos ofrece beneficios más gratificantes y finalmente la graduación. Los alumnos de la vida que son juiciosos acogen bien las experiencias que parece ofrecer adversidad porque toda barrera imaginaria es un desafío personal para crecer, y con el crecimiento llega una esfera de influencia más amplia, mayor responsabilidad y más recompensa.

Poco a poco descubrimos quiénes somos a través de las experiencias. Al mirar atrás reconocemos que lo que nos parecieron los mayores problemas ocurrieron durante los momentos de mayor crecimiento y conocimiento propio. Este principio es válido no sólo para las personas sino también para las organizaciones, empresas, países, el mundo en general y más allá. Cuando, individual o colectivamente, nos encontramos en el límite entre el orden y el caos, estamos en posición de experimentar el mayor crecimiento y evolución.

Hace unos años participó en la Experiencia Descubrimiento Tom, un hombre de San Francisco al que un terremoto le había destruido la casa y con ella, casi todas sus pertenencias. Tenía un buen seguro y su situación económica no iba a sufrir menoscabo, pero se sentía conmocionado por la pérdida de tantos recuerdos que tenían un profundo significado para él. En cierto sentido se sentía como si estuviera pasando por una crisis de identidad.

—De repente mi vida se ha vuelto muy complicada y muy sencilla al mismo tiempo —explicó—. Me resulta muy raro no poseer nada. Siempre he tenido muchas cosas, incluso cuando era niño, y me produce una sensación rara haberme quedado solamente con unas cuantas bolsas de ropa, una lámpara y un buzón. —Permaneció en silencio unos segundos y después añadió—: Por otra parte, es una especie de alivio no tener nada. De lo único que soy responsable ahora es de mí mismo.

Durante el programa de dos días, logró aclarar muchas de sus emociones. Continuó encontrando beneficios en la destrucción de su casa, y empezó a organizar su vida de la forma que le gustaría que fuera. Decidió comprarse un apartamento pequeño en un condominio de una playa del sur de California y una casa en Boston, cerca de sus hijos y nietos. También se apuntó a clases de yoga y comenzó a hacer caminatas para mantenerse en forma. Cuando acabó el programa, le dio las gracias a todos los participantes por lo mucho que le habían ayudado.

—Nunca pensé que yo llegaría a decir esto, pero le estoy sinceramente agradecido al terremoto. Con una sacudida me ha devuelto a la vida y me ha recordado lo que es verdaderamente importante. Tengo sesenta y tres años y pienso que este es el momento perfecto para remodelar mi vida y pasar más tiempo con mi familia y las personas que amo.

La verdad es...

Cada problema es como una gran prueba ecuestre, cuando se salta con el corazón, el caballo también la supera.

Lawrence Bixby

- El Universo es un equilibrio de experiencias, todas destinadas a ayudarnos a evolucionar y a conducirnos a un estado de gratitud por lo que es, tal como es, para que podamos a aprender a amarlo.
- Jamás se nos enfrenta a un problema que no podamos resolver y del que no podamos aprender a amar, ya sea solos o ayudados por otras personas.
- Cuando nos elevamos por encima de un problema y lo contemplamos desde un punto de vista más amplio, es más fácil ver las respuestas.
- En realidad no hay problemas sino sólo oportunidades para aprender otra lección en el amor.

Reflexiones

Cuando estoy trabajando en un problema jamás pienso en la belleza, pero cuando lo he acabado, si la solución no es hermosa sé que no es correcta.

R. Buckminster Fuller

1. Piensa en una situación que te pareciera un problema enorme cuando te enfrentase a ella, y que finalmente resultó ser una bendición disfrazada.
2. Recuerda un momento en que resolvieras con éxito un problema con ayuda de otras personas.
3. Recuerda tu última experiencia traumática.
4. Piensa en por lo menos tres aspectos en los que hayas crecido a raíz de esa experiencia.

Realizaciones

Una dificultad no siempre se supera trabajando en ella sin cejar; con frecuencia esto se logra trabajando en la siguiente. Algunas cosas y algunas personas han de abordarse desde una perspectiva oblicua, es decir, en ángulo.

André Gide

1. Resume una situación que hayas experimentado en el pasado y que en esos momentos te pareciera un tremendo problema o drama.
2. Enumera cinco maneras en que ese problema te haya beneficiado o servido para crecer.

3. Resume una situación que estés experimentando en estos momentos y que te parezca un problema.

4. Enumera cinco maneras en que puedes beneficiarte de este supuesto problema.

Afirmaciones

- Cuando me encuentro ante algo que me parece un problema abro mi corazón al silencio interior.
- Cuando acepto la responsabilidad de mis experiencias diarias abro mi corazón y mi mente a la orientación de mi voz interior.
- Soy un ser magnífico y bello.
- Mis problemas de salud son retos para amar; tengo todo lo que necesito para sanar.

11

La respiración
es el secreto
de la vitalidad

Modeló Yavé Dios al hombre de la arcilla y le inspiró en el rostro
aliento de vida, y fue así el hombre un ser animado.

Génesis 2:7

¿Estamos llenos de vida, o «apenas respiramos»?

La respiración es el aliento de vida. Es necesaria para la salud
y vitalidad física, mental y espiritual. Desde la primera inspiración de aire al nacer, el cuerpo depende de la respiración
para funcionar. Desde el primer pensamiento consciente, la
mente depende de la inspiración del corazón y del alma para
motivarse a actuar.

La vitalidad es un reflejo del grado de inspiración, así
como la respiración física es reflejo del estado mental. Las es-

piraciones largas con inspiraciones cortas indican depresión emocional. Las inspiraciones largas con espiraciones cortas indican euforia. Cuando hay equilibrio entre la duración de la inspiración y la espiración, la persona está serena y en un estado de agradecido amor incondicional.

Un día me llamó por teléfono Kathy, una alumna mía, para decirme que tenía una depresión emocional y no sabía por qué. Le hice algunas preguntas para establecer el comienzo de esa depresión y saber si había ocurrido algo en su vida que pudiera ser la causa. Según ella, había comenzado a sentirse deprimida unas dos semanas antes de llamarme. Su trabajo iba bien, sus hijos estaban estupendamente, y en ese momento se hallaba disfrutando con su marido de las vacaciones de verano (los dos eran profesores de enseñanza secundaria).

—Aparte de no poder correr —me dijo—, todo lo demás va bien.

Me explicó que se había lesionado el tobillo hacía unas semanas, lo que le impedía correr los ocho o diez kilómetros que acostumbraba a hacer cada día. Sabía que la causa de su depresión era la falta de ejercicio, pero lo que desconocía era que la falta de respiración aeróbica equilibrada fuera también una de las causas principales. Le expliqué que con los ocho o diez kilómetros que corría, probablemente estuviera manteniendo una respiración equilibrada durante más de 45 minutos al día, y le recomendé que mientras no pudiera volver a correr podría dedicar quince minutos dos veces al día a practicar la respiración rítmica equilibrada, sentada o echada. También le dije que leyera libros y artículos estimulantes, y que buscara y agradeciera los beneficios que recibía de su temporal lesión del tobillo.

No habían transcurrido ni dos semanas de nuestra conversación cuando me volvió a llamar para decirme que le iban muy bien las sesiones de respiración equilibrada:

—Me vuelvo a sentir llena de energía, y lo mejor de todo es que me parece que el tobillo se está recuperando más rápido. ¡Gracias, doctor Demartini!

La gratitud abre el corazón a la inspiración

Si no tienes todo lo que deseas, agradece las cosas que no tienes y que no deseas.

Anónimo

• Cuando nos damos las gracias a nosotros mismos y a los demás, abrimos el corazón a la inspiración.
• Cada día la respiración equilibrada y la meditación nos sintonizan con las vibraciones y energía inspiradas.
• La energía y la vitalidad son infinitas cuando reconocemos y valoramos su fuente: un corazón lleno de gratitud.
• Los mensajes inspiradores siempre están a nuestra disposición; demos las gracias y escuchemos con el corazón.

Cuando nos sentimos agradecidos estamos serenos y literalmente «respiramos con facilidad». En esos momentos tenemos el corazón abierto, receptivo a, o sintonizado con, los mensajes del corazón y del alma. Por eso la gratitud es una parte tan importante de nuestra vida. Es la puerta hacia la inspiración y el amor incondicional.

Mis padres solían decirme: «Valora todo lo que tienes, hijo». En ese tiempo yo no me daba cuenta de la enorme sabiduría que contenían esas palabras. Sabía que querían decir que valorara y agradeciera lo que tenía, pero no sabía por qué. Y menos aún que aquello que yo agradecía iría creciendo. Sin embargo de mayor, comencé a ver y a experimentar el poder de la gratitud, y a comprender la profundidad de la orientación que me habían ofrecido mis padres. ¡Qué regalo me hicieron para la vida!

Ahora, cuando me despierto por las mañanas, y antes de dormirme, agradezco todo lo que tengo, y presto atención a la sabiduría de mi corazón y de mi alma.

Cuando la respiración vaga también vaga la mente

La sabiduría no es sabiduría cuando sólo procede de los libros.

Horacio

- Cuando la respiración es relajada y rítmica, la mente está tranquila y despejada.
- La respiración equilibrada genera capacidad y vitalidad, y dispone al cuerpo para sanar.
- Controlar la respiración acalla el ruido del cerebro y genera paz y serenidad interior.
- El oxígeno que se inspira aporta energía a las células para su funcionamiento y curación óptimos.

Dominar la respiración es el secreto para dominar la mente y aumentar la inspiración y la vitalidad. Una respiración profunda y rítmica es el regalo inspirador de los pulmones para la salud y el bienestar. Si bien no es posible, ni necesario, expandir totalmente los pulmones con cada respiración, una respiración completa es una inspiración. Es necesario practicar periódicamente la respiración rítmica completa para llenar los pulmones en toda su capacidad e inspirar grandes cantidades de la fuerza vital del aire. Cuando se practica esta respiración por primera vez se comienzan a notar casi inmediatamente sus beneficios.

Recuerdo a un hombre que en una de mis clases de yoga se sobresaltó un poco por la sensación de calor y de circulación de energía que experimentó cuando practicó por primera vez la respiración completa y equilibrada. Chuck trabajaba en publicidad; su mujer lo había apuntado a la clase de yoga para que aprendiera a relajarse, ya que estaba preocupada por su elevado nivel de estrés. Él reconoció que se sentía como un saco de nervios:

—Cuanto más nervioso estoy más me cuesta concentrarme en el trabajo y elaborar ideas creativas. Y cuando me ocurre esto me pongo aún más tenso y ya no soy capaz de pensar en nada.

Chuck se convirtió en partidario de la respiración equilibrada después de su primera sesión, aunque reconoce que al principio se sintió un tanto escéptico.

—Si me hubiera dicho que aprender a respirar de cierta manera podía cambiarme la vida, me habría desternillado de risa en su clase. Pero al cabo de un año aquí estoy, y soy el ejecutivo que más rinde en mi empresa. Este año he ganado dos premios en publicidad creativa y me siento más joven y relajado de lo que lo había estado nunca.

La verdad es...

La inspiración está en todas partes. Si estamos dispuestos a valorarla,
una hormiga puede ser una de las maravillas del Universo.

Anónimo

• Las personas poderosas hacen respiraciones poderosas y están llenas de energía creativa.

- Cuando la mente vaga, también vaga la respiración; cuando la respiración vaga, también vaga la mente.
- Cuando dominamos la respiración dominamos la mente.
- Cuando dominamos la mente, liberamos la fuente de la curación y la vitalidad.

Reflexiones

Aliento de Dios, inspírame, lléname de vida nueva, para que pueda amar lo que tú amas y hacer lo que tú harías.

Edwin Hatch

Este sencillo ejercicio genera armonía y equilibrio en todo el sistema nervioso. Para practicar la respiración profunda y rítmica, sigue estos cinco pasos; lo puedes hacer de pie, sentado o echado:

1. Espira profundamente por la nariz contrayendo del todo el abdomen.
2. Inspira lentamente por la nariz, ensanchando el abdomen, después el pecho y elevando los hombros hacia las orejas.
3. Retén el aliento durante los segundos que te resulten cómodos.
4. Espira haciendo lo contrario, baja lentamente los hombros, relaja el pecho y contrae el abdomen.
5. Haz varias de estas respiraciones, primero de manera lenta, después rápida y luego más rápida todavía, hasta que se te enrojezca la cara; vuelve a hacerlas lentamente hasta que se te relaje el cuello y se te calme la mente.

Realizaciones

El corazón tiene razones que la razón no comprende.

Blaise Pascal

1. Valora lo que tienes. Piensa en las personas o en las cosas por las que puedas estar agradecido/a y en silencio continúa dando las gracias por todas esas personas, cosas y acontecimientos hasta que los ojos se te llenen de lágrimas inspiradas de amor incondicional por la magnificencia del Universo. Continúa ahondando en el hermoso orden que hay dentro de la esencia de tu vida. Sigue sintiéndote agradecido hasta que tus lágrimas de inspiración limpien los cristales de las ventanas de tu alma y corazón y te revelen mensajes y visiones. Pide un mensaje de inspiración y anota lo que sea que te venga a la mente.

Afirmaciones

- Equilibro y sereno mi respiración y equilibro y sereno mi mente.
- Mediante mi inspiración la energía es infinita y universalmente disponible.
- Agradezco mis muchos bienes y bendiciones.
- Abro mi corazón a la inspiración y curación.

12

La mente sana conserva sano el cuerpo

La salud no es un estado de la materia sino de la mente.

Mary Baker Eddy

¿Nos ponemos enfermos nosotros mismos?

Es curioso que sean muchas las personas que saben que pueden ponerse enfermas por sí mismas y pocas las que saben que también pueden autocurarse. En mis entrevistas, suelo oír frases como éstas: «Estaba enfermo de preocupación», «Estaba tan dolida que no pude comer en varios días» o «De verdad, eso me rompió el corazón».

Nuestros pensamientos, percepciones, sentimientos y palabras nos pueden hacer enfermar, pero también pueden fortalecernos y contribuir a sanar el cuerpo. Cuando tenemos per-

Una de las maneras más inmediatas de cambiar la salud es cambiar los pensamientos y las palabras. Escucha lo que piensas y lo que dices. Si lo dices con bastante frecuencia, tu mente y tu cuerpo comenzarán a creer en ello. Por ejemplo: «Este trabajo me está matando», «No soporto a esta mujer», o «Este hombre me pone enferma».

Con frecuencia hacemos afirmaciones nacidas del enfado o la frustración, y acabamos creyendo en ellas en lugar de abrir el corazón a la verdad y sabiduría del amor. Cuanto más tiempo continuamos creyendo en nuestras mentiras, más efecto tienen en nuestra vida y salud, y con más profundidad nos afectan. Eso fue lo que le ocurrió a una pareja con la que trabajé hace unos doce años. Vinieron a verme porque su hija de 49, Susan, les suplicó que hablaran conmigo. Ella era clienta mía y creía que yo podría ayudarles. Robert y Mary llevaban casi cincuenta años casados, y según me contó Susan, toda su vida se habían estado peleando. Los dos se hallaban en la fase terminal de cáncer y Susan deseaba que se reconciliaran antes de morir.

Antes de que los tres nos sentáramos en mi consulta, Mary y Robert habían estado peleándose y cuando entramos, intercambiaron insultos acusándose mutuamente de varias cosas que habían ocurrido ese día.

—No sé para qué estamos aquí —dijo finalmente Mary volviéndose hacia mí—. Usted no nos puede ayudar. Llevamos cincuenta años peleándonos como perro y gato porque él es un tozudo, un egoísta y un insoportable.

—Bueno —dijo Robert cruzándose de brazos—, puede que yo sea tozudo y egoísta, pero la insoportable eres tú. Toda la vida has sido una quejica y nadie puede hacerte feliz.

Así continuaron hasta que intervine yo para decirles que volviéramos a la época en que los dos decidieron casarse.

—¿Se querían entonces? —les pregunté.

—Claro, si no no nos hubiéramos casado.

—¿Entonces qué fue lo que generó tanta rabia entre ustedes dos?

Se miraron entre ellos y luego me miraron a mí.

—Sólo llevábamos tres meses casados —dijo finalmente Mary—, cuando él me dejó embarazada y tuve que abandonar el trabajo y quedarme en casa con el bebé. Yo no quería tener hijos hasta dos o tres años después de casados. Él lo estropeó todo y desde entonces me he sentido furiosa.

—Yo traté de ayudarla a cuidar de Susan —intervino él—, pero trabajaba en dos sitios para que pudiéramos vivir, y pasado un tiempo ni siquiera quería llegar a casa por la noche. Ella cada día se quejaba de algo diferente.

—Veamos si lo entiendo bien —dije yo—. ¿Los dos han estado enfadados durante cincuenta años porque Susan nació dos años antes de que usted quisiera tenerla?

Mary asintió y Robert se encogió de hombros. Yo sabía que todavía había amor entre ellos. Simplemente estaba cubierto de tantos años de negación y conflicto que ya no lo sentían. Les pedí que se cogieran las manos, se miraran a los ojos y se dijeran «gracias» y «te quiero». Al principio se negaron, pero con una buena cantidad de aliento y otras cuantas rondas de ataques verbales, se cogieron las manos y se miraron a los ojos. Al hacerlo comenzaron a ablandarse sus corazones y los dos empezaron a llorar. Finalmente Robert abrazó a Mary.

—Te quiero —le dijo.

—Yo también te quiero —contestó ella.

Los dos lloraron durante varios minutos.

Los dos comprendieron que toda su rabia, frustración y amargura habían ido aumentando con los años hasta que finalmente comenzaron a consumirlos a los dos en forma de cáncer. Cuando me visitaron en la consulta, Robert dependía parcialmente de un aparato para respirar, y Mary estaba tan débil que no podía continuar con la radioterapia. Aúin así, cuando cada uno abrió su corazón al otro y sintieron el amor que había estado allí durante todo ese tiempo, agradecieron la oportunidad de vivir lo que les quedaba de vida juntos y en armonía.

Programarse para la salud

Una vez que nos hemos hallado en una situación de vida o muerte dejan de importar las trivialidades. Aumenta nuestra perspectiva y vivimos en un plano más profundo. No hay tiempo para las insignificancias.

Margaretta Rockefeller

- Tengamos la certeza de que los principios de la curación nos van a funcionar.
- La curación procede del interior y todos podemos autosanar con el amor incondicional.
- Los dos mejores sanadores son la risa y las lágrimas, porque son las dos caras del amor.
- Lo que la mente amorosa puede concebir y creer, puede lograrlo.

Prográmate para la salud con pensamientos sanos, concentrándote en tus progresos y creyendo que pronto te encontrarás en el estado de salud deseado. Mira películas cómicas, lee relatos y libros inspiradores y llena la mente de pensamientos potentes de fortaleza, salud y vitalidad.

Cuando pienso en historias para ilustrar este punto, suelo recordar a Edith, una señora cincuentona afectada por una artritis tan grave que solía tener problemas para caminar. Un día la vi paseando por el parque con un caballero. Al principio no la reconocí; caminaba con tanta agilidad e iba tan sonriente que se veía mucho más joven.

Cuando la volví a ver varias semanas después, me dijo que el hombre con quien la había visto era su nuevo novio. Le comenté lo bien que parecía estar de salud y ella me dijo que sí, que estaba disfrutando de una primavera muy agradable, sin dolores. No volví a verla hasta fines del verano, pero entonces la artritis parecía estar peor que nunca. Me dijo que su romance había terminado, estaba deprimida y se sentía fatal.

Le pregunté si era consciente de que la artritis mejoraba cuando mejoraba su estado mental. Estuvo de acuerdo en que su cuerpo se sentía mucho mejor cuando ella estaba dichosa. Pero me dijo que ya no le interesaba volver a intentarlo.

—Edith —le inquirí—, fue usted quien se hizo sentir mejor y puede volver a hacerlo. Imagínese paseando por el parque con un nuevo novio, o jugando con uno de sus nietos.

Cuando mencioné a sus nietos sonrió y me dijo que sí, que lo intentaría de nuevo. Pasaron varios meses antes de que volviera a verla, pero un día recibí un paquete en el que me enviaba una concha, con una nota:

¡Recuerdos! Esta concha la he recogido yo misma esta mañana cuando salí con mi nieto Brandon a dar un paseo por la playa. Gracias, doctor Demartini. Usted tenía razón. Tengo el poder para mejorar mi salud.

La verdad es...

La realidad es algo por encima de lo cual nos elevamos.

Liza Minnelli

- El amor incondicional cura.
- Cuando somos agradecidos y amantes tenemos el cuerpo sano y fuerte.
- Tenemos el poder de crearnos enfermedad y salud en la mente y el cuerpo.
- El cuerpo nos habla con la enfermedad para darnos otra oportunidad de amarnos a nosotros mismos y a los demás.
- Cuando somos humildes y agradecidos, tenemos el corazón abierto y por nosotros circula el poder sanador del amor incondicional.

Reflexiones

El humor es una fuente de poder rica y versátil, un recurso espiritual muy parecido a la oración.

Marilyn R. Chandler

1. Recuerdas la última vez que enfermase debido a la rabia, la frustración, la ansiedad, el miedo y el sentimiento de culpa.
2. Prométete escuchar tus pensamientos y palabras. Elimina las frases del tipo «Me pone enferma....», «No soporto...», «Mis pies me están matando», «Me enfurece...», etcétera.

3. Despeja la mente. Dedica quince minutos cada día a estar sentado/a con los ojos cerrados y a practicar la respiración relajada. Inspira lentamente por la nariz contando hasta 6 o 7 y después espira lentamente llevando la misma cuenta. De lo que se trata es de equilibrar la inspiración y la espiración en una proporción 1:1. A algunas personas les resulta más cómodo inspirar durante cuatro o cinco segundos; a otras más segundos. Descubre la duración que a ti te resulta más relajada y cómoda.

4. Por lo menos una vez al día piensa en todas las cosas por las que te sientes agradecido/a, hasta que tus ojos se llenen de lágrimas de gratitud. Después visualiza y siente el calor y la tranquilizadora sensación del amor incondicional que inunda tu cuerpo de energía sanadora.

Realizaciones

Muchas cosas que nos provocan dolor nos causarían placer si consideráramos sus ventajas.

Baltasar Gracián y Morales

1. Haz la lista de todos los trastornos que te gustaría sanar.
2. Pon número a esos trastornos en orden de urgencia o prioridad. El número 1 será el que tenga la mayor prioridad.
3. Escribe treinta modos en que te sirve el trastorno elegido como número uno.
4. Escribe una carta sincera de agradecimiento por las bendiciones de tu enfermedad y de tu salud.

Afirmaciones

- Estoy agradecido/a, tengo el corazón abierto y el poder sanador del amor incondicional llena mi cuerpo.
- Alimento mi mente con pensamientos sanos.
- Amo y respeto mi cuerpo como a mi más sincero y leal amigo.
- Mi salud y mi enfermedad son bendiciones y me ofrecen oportunidades de amarme y de amar a los demás.
- Cualquier cosa que conciba y crea puede lograrla mi mente.

13

Excederse con moderación

Tenemos todo el poder del mundo para romper cualquier hábito. El poder de la divina voluntad nos acompaña siempre y no se puede destruir jamás.

Paramahansa Yogananda

¿Tenemos pasiones, o ellas nos poseen?

La oportunidad de disfrutar de los placeres de la vida es una bendición y es sabio agradecer nuestros dones. Pero si sólo nos dejáramos llevar por nuestras pasiones y les permitiéramos que nos gobernaran la vida, podríamos desviarnos fácilmente de la realización de nuestras inspiraciones. Lo secundario, la enfermedad y la chifladura o encaprichamiento por algo o alguien pueden desviarnos de la ruta. Aprender la moderación es una de las maneras más eficaces para liberarnos de adicciones y convertir hábitos insanos en sanos.

Cuando consentimos nuestras pasiones con moderación éstas quedan satisfechas y uno continúa al mando. Pero si nos entregamos a ellas sin moderación se ponen al mando de la situación y esos extremos nos llevan a otros desequilibrios mentales y físicos. No es raro que a veces se oscile entre comportamientos opuestos, pero cuando se modera el vaivén y se busca el centro de equilibrio se experimenta una vida más sana y productiva.

Es posible que se tengan uno o dos hábitos que se desearía eliminar. Pero muchas veces cuando tratamos de eliminar algo lo que hacemos es exagerarlo. Un buen ejemplo de ello es Joe, un ex alcohólico que vino a verme por primera vez hace unos cinco o seis años, cuando se dio cuenta de que el alcohol lo dominaba. Había estado apuntado a Alcohólicos Anónimos, pero me dijo que por lo general la sola idea de no volver a beber nunca más lo llevaba directo a un bar o una bodega.

—La última vez que dije que no volvería a tomar otro trago aguanté un día; después me fui a una bodega, compré un litro de whisky y me lo bebí de un tirón. No sé qué hacer, pero sé que tengo que hacer algo.

Primero le ayudé a equilibrar su percepción sesgada del alcohol y su apego a beber. Hizo una lista de todos los modos en que beber le ayudaba y después otra de en cómo le perjudicaba. Pronto comenzó a comprender que beber no es ni bueno ni malo, sino simplemente beber. Una vez entendido este concepto comentó:

—Uno de los motivos de que me emborrache es que me siento tremendamente culpable por no ser capaz de dejar la bebida. He estado dándole vueltas a todo esto.

Se había quedado atrapado en un círculo vicioso y sus sentimientos de culpabilidad por beber y su miedo a no poder dejarlo le gobernaban literalmente la vida.

Le expliqué que la mejor forma de controlar un hábito o adicción es moderarlo.

—Pero yo creía que un alcohólico es siempre un alcohólico —me dijo—. Si lo dejo por un tiempo, ¿no volveré a beber todos los días cuando tome una copa?

El resto de la sesión la pasamos explorando esa pregunta, y cayó en la cuenta de que nunca había intentado moderar el consumo de alcohol de la forma en que yo se lo sugería. Decidió que le sentaría bien beber día sí y día no. Su objetivo a largo plazo era beber sólo de vez en cuando, pero quería comenzar con un paso que estaba seguro de poder lograr. Entre los dos ideamos un plan de acción que lo ayudara a cumplir su promesa.

Cuando entró en mi consulta al cabo de un mes, parecía otra persona. Caminaba erguido, con orgullo, y parecía unos cuantos centímetros más alto. Me dijo orgulloso que las dos primeras semanas había cumplido su promesa de beber solamente a días alternos, a excepción de un fin de semana en que lo hizo la noche del viernes y la del sábado.

—Pero me fue bien, porque en lugar de sentirme culpable simplemente decidí que el domingo sería un día sin alcohol y volvería al programa.

Lo felicité por sus dos primeras semanas y le pregunté por las otras dos.

—Bueno, cuando vi que era capaz de beber sólo cuatro días de cada siete, supe que podría reducirlo sólo a tres, y eso es lo que he estado haciendo.

Me explicó que su plan para el mes siguiente era reducir el número de días a dos por semana, y también moderar la cantidad de alcohol que bebería esos días.

Joe se demostró a sí mismo que era capaz de triunfar y cumplir su promesa. Aumentó su autoestima y también creció su autodisciplina. Desde entonces, hace ya más de cuatro años, ha sido un «bebedor ocasional» y atribuye su éxito a la moderación.

La moderación es el secreto para tener sanos la mente y el cuerpo

Jamás comas más de lo que puedes levantar.

Miss Piggy

- La moderación genera equilibrio mental y físico.
- Cuando se hace un hábito del exceso de consentimiento, la mente y el cuerpo comunican su molestia mediante enfermedad, depresión y ansiedad.
- Las pasiones no han de condenarse, sino simplemente moderarse.
- La moderación es uno de los más potentes sanadores de la vida.

Es posible que la variedad ponga condimento a la vida, pero es la moderación la que nos proporciona un equilibrio y ritmo sanos. El cuerpo y la mente están hechos para trabajar con más eficiencia cuando vivimos una vida equilibrada de moderación. Pero si elegimos trabajar, divertirnos, comer, beber o hacer ejercicio en exceso, o excedernos en cualquier otra cosa, nos desequilibramos y más pronto o más tarde nuestra mente y cuerpo lo pagan.

Hace unos años conocí a Deborah en un congreso sobre educación. Había hecho grandes progresos en su profesión en poco tiempo, pero me comentó que no sabía cuánto tiempo podría mantener el ritmo que había llevado hasta ese momento. Trabajaba un promedio de setenta horas o más a la semana y era muy poco el tiempo que le quedaba para cuidar de sí misma y atender a sus necesidades. En consecuencia, su estilo de vida estaba comenzando a hacer sus estragos. Mientras conversábamos me contó que el año anterior había estado enferma con frecuencia, engordado unos siete kilos y sufrido de alergias que nunca antes había tenido. Se estaba cavando la tumba. Sabía que estaría mucho más sana mental y físicamente si moderaba el ritmo, reducía sus horas de trabajo y le dedicaba algún tiempo a otros aspectos de su vida. Aún así tenía miedo de perder su posición y categoría en el distrito escolar si aminoraba la marcha. Le ayudé a comprender que las personas más felices y prósperas son aquellas que llevan una vida equilibrada de moderación, y le expliqué que si se tomaba tiempo para hacer ejercicio, alimentarse correctamente y descansar lo suficiente, su productividad aumentaría, no disminuiría.

El año pasado recibí una nota de ella en la que me decía que de nuevo estaba haciendo ejercicio; se había quitado de encima los kilos de más y se sentía mejor. Y acababa de recibir un ascenso en el trabajo.

Nada de los sentidos puede satisfacer el alma

Los múltiples deseos del hombre son como las monedas metálicas que lleva en el bolsillo. Cuantas más tiene, más le pesan y lo hunden.

Satya Sai Baba

- Si la vida física fuera nuestra única finalidad, una mera existencia sería satisfactoria.
- Cualquier cosa que se considere buena y placentera, que

estimule la liberación de opiáceos y nos «coloque», puede convertirse en adictiva.

- Los excesos atrofian el desarrollo personal y espiritual.
- La moderación y el equilibrio favorecen el desarrollo personal y espiritual.

Henry James dijo sabiamente: «El hambre infinita de un alma no se puede satisfacer con las cosas de los sentidos». Es decir, por mucha cantidad y frecuencia que comamos, bebamos, compremos, tengamos relaciones sexuales o cualquier otra cosa que nos agrade físicamente, no satisfaremos nuestras inspiraciones del alma y del corazón. No hay nada malo ni incorrecto en complacernos físicamente, sobre todo cuando lo hacemos con moderación. Pero el hambre del alma sólo se sacia viviendo una vida agradecida e inspirada, consagrada a realizar nuestra misión o finalidad última.

Muchas veces lo que lleva a excesos es la sensación interior de que nos falta algo en la vida. Pero ese algo no se puede encontrar en las posesiones materiales ni en los placeres terrenales. Cuando uno se desconecta del amor y la orientación del propio corazón y del alma, se crea esa sensación de vacío. Y al contrario cuando aprovechamos la orientación y el amor incondicional de nuestro conocimiento interior, nos sentimos satisfechos en un plano mucho más profundo y podemos moderar con más facilidad los excesos físicos.

Uno de mis ejemplos favoritos para ilustrar este punto es la historia de un surfista al que conocí cuando yo tenía 17 años y que vivía en la playa norte de Oahu. Los demás surfistas lo llamaban afectuosamente Death Wish [Deseo de Muerte], pero su verdadero nombre era Dan. Lo apodaban así porque tenía una gran colección de hábitos autodestructivos que practicaba en exceso. Cada día se bebía al menos seis latas de cerveza y fumaba uno o dos paquetes de cigarrillos; evitaba la comida sana, rara vez bebía agua y se exponía a todos los riesgos que le sugerían. Una noche que yo iba de camino a la ciudad para cenar me encontré con él y lo invité a que me acompañara. Entramos en una pizzería y mientras comíamos, no sé por qué motivo, decidió vaciar su corazón conmigo. Me dijo que hiciera lo que hiciera, no lograba librarse del vacío que sentía en su interior. Por aquel entonces yo no supe qué decirle, pero ahora comprendo que ese vacío que sentía era consecuencia de haberse desconectado de su voz interior en un intento de llenar el vacío con actos de desesperación en lugar de con actos de inspiración.

La verdad es...

Un hombre que no ha pasado por el infierno de sus pasiones jamás las ha superado.

Carl Jung

- La moderación es sabiduría.
- Un estilo de vida moderado, equilibrado, crea una vida productiva y sana.
- Cuando obedecemos la orientación del alma y el corazón y seguimos nuestras inspiraciones, nos sentimos realizados.
- Cuando no hacemos caso de la orientación del alma y el corazón y seguimos los extremos de nuestras pasiones, experimentamos el vacío.

Reflexiones

La moderación es un árbol cuyas raíces son satisfacción y cuyos frutos serenidad y paz.

Dicho norteafricano

1. Recuerda la última ocasión en que te permitiste «excederte» de algún modo.
2. Recuerda lo que pensaste de ti mientras lo hacías y después.
3. ¿Qué te hicieron sentir o hacer esos pensamientos?
4. Piensa en tres cosas beneficiosas y en tres perjudiciales de tu experiencia.

Realizaciones

El respeto por uno mismo es el fruto de la disciplina; la sensación de dignidad aumenta con la capacidad de decirse no a uno mismo.

Abraham J. Heschel

1. Anota tres de las actividades o pasiones extremas en las que te complaces.
2. Elige la pasión extrema que, a tu entender, influye más en ti, y luego escribe diez modos en que ese exceso o pasión extrema te beneficia, y diez en que te perjudica.
3. Decide tu objetivo último para moderar tu comportamiento y escríbelo.

Ejemplo:

Me excedo en comer chocolate

Después podrías escribir:

Respecto a mi pasión por el chocolate me gustaría comer uno o dos exquisitos trozos cada semana.

4. Determina cuál será el primer paso para moderar tu comportamiento y hazte la firme y amorosa promesa de cumplir tu palabra. Procura que sea un paso que tengas la seguridad de poder abarcar.

Afirmaciones

- Alimento mi alma y mi corazón con mis inspiraciones y haciendo lo que me gusta hacer.
- Modero mis pasiones extremas y vivo una vida más sana.
- Soy maestro/a de la moderación y mi vida es equilibrada y serena.
- Agradezco las lecciones que me han enseñado mis pasiones porque me demuestran el poder de la moderación.

14

El dinero se marchita cuando se lo acumula

¿Alguien recuerda cuándo la vida no era difícil ni el dinero escaso?

Ralph Waldo Emerson

¿Tenemos guardado el dinero mientras nos matamos trabajando?

Las personas que piensan que el dinero es un recurso finito tienen la tendencia a acumularlo en lugar de invertirlo, a ahorrarlo con intereses y a usarlo con criterio para realizar sus sueños inspirados. Pero las personas que creen en sí mismas, valoran lo que poseen y tienen la seguridad de que pueden ganar más. Estas personas manifiestan confianza y no obstaculizan su capacidad de atraer la riqueza con miedos, dudas, enfermedad o inseguridad.

Cuanto más valoramos algo más tememos su pérdida. A veces se obstaculiza la riqueza y la prosperidad porque se le atribuye un valor exagerado. Es importante tener presente que tanto la riqueza como la pobreza nos ofrecen penas y placeres únicos. Una no es necesariamente más fácil que la otra, pero desde un punto de vista realista, es mucho más difícil conseguir los sueños superiores cuando se obstaculiza la atracción de los recursos económicos.

Un día en Central Park conocí a Joe. Estaba vendiendo helados y comenzamos a charlar. Me preguntó en qué trabajaba y le contesté que era orador profesional. Él miró con los ojos perdidos en la distancia y me dijo:

—Verá, yo soy algo más que un simple vendedor de helados.

Le dije que creía que todos somos algo más que el trabajo que realizamos y le pregunté si había otra cosa que le gustaría estar haciendo en lugar de vender helados.

—¿Bromea? ¿A quién demonios no le gustaría hacer cualquier otra cosa en lugar de esto? Mi sueño es comprarme un terrenito, poner una granja de hierbas orgánicas y hacerme rico.

Le dije que me parecía un buen plan y le pregunté qué estaba haciendo para convertirlo en realidad. Joe me explicó que no podía hacer nada sin dinero. Le hice algunas sugerencias sobre cómo ahorrar e invertir para poder llevar a la práctica su sueño algún día. Al principio pareció interesado, pero después me dijo:

Todo eso suena estupendamente, pero usted sabe tan bien como yo que algunas personas tienen el dinero y otras lo desean. Yo soy de esos tíos que desean el dinero. A menos que me toque la lotería, voy a ser el heladero hasta que me jubile y encuentre otra cosa que hacer. Pero no me preocupo por Joe. Tengo un buen nidito bien seguro en mi apartamento y nadie me lo puede quitar. Pero gracias por este paseo por la fantasía, señor.

Joe estaba convencido de que era incapaz de generar el dinero que necesitaba para realizar su sueño, y se conformaba con esconder lo que ganaba en su apartamento, sin recibir interés alguno, porque no tenía la suficiente confianza en sí mismo ni en los bancos para invertirlo. Simplemente había renunciado a su sueño, cuando de hecho podía hacer realidad su visión simplemente con creer en sí mismo y poner en ello su energía, recursos, mente y corazón.

Para hacer crecer los activos hay que tenerlos en movimiento

No valores el dinero ni más ni menos de lo que vale; es un buen servidor pero un mal amo.

Alexandre Dumas

- El dinero ha de circular para crecer.
- Hay que gastar y ahorrar dinero para hacer dinero.
- No importa cuánto se gana; el secreto está en administrar bien lo que se tiene.
- La ley del intercambio justo es que no se obtiene algo por nada.

El dinero es una forma de energía, y la energía en movimiento es más productiva que la energía en reposo. Cuando se ahorra y se gasta prudentemente el dinero, éste aumenta. Ya sea que se ganen quince mil o un millón de dólares al año, es necesario aprender a administrar con eficiencia lo que se tiene, y a agradecerlo, para poder recibir más. Esa es una de las leyes esenciales de la acumulación de riqueza. La otra ley fundamental es la regla de oro de causa y efecto, o intercambio justo. Los viejos refranes «Lo que siembras cosechas» y «Obtienes lo que pagas» contienen mucha sabiduría.

Cuando estaba en el instituto profesional conocí a Sal, un hombre que era propietario de una pequeña tienda en una esquina a varios kilómetros de distancia. A veces me tomaba un descanso de mis estudios e investigación para caminar hasta su tienda, despejarme la cabeza y comprar algunas cosas que necesitaba. Al parecer Sal estaba siempre allí, fuera la hora que fuera, de día o de noche.

—¿Nunca se va a casa? —le pregunté un día, en broma.

Él no entendió el significado de mi pregunta.

—Me encantaría irme a casa —me dijo elevando la voz—, pero estoy de facturas hasta las orejas y por mucho que trabaje, apenas logro mantenerme a flote.

Continuó hablándome de sus gastos mensuales y de sus deudas con altos intereses. También me dijo que nunca lograba ganar lo suficiente para pagarse una pensión.

—Tengo cincuenta y cuatro años y supongo que voy a tener que seguir trabajando hasta que me caiga muerto.

Por alguna razón continué pensando en Sal durante varias semanas. Un día, cuando iba camino a clase, vi una hoja de un vivo color amarillo en un tablero de anuncios que hacía publicidad sobre una clase de administración económica. Me pareció que en cierto modo mi conversación con Sal me había despertado a una nueva conciencia sobre mi necesidad de aprender a administrar el dinero. La mujer que impartía el seminario en un solo día había ganado la mayor parte de su dinero haciendo inversiones y sabía mucho sobre los principios fundamentales de la administración que han resistido la prueba del tiempo y que a ella la llevaron a su prosperidad. Me apunté al curso y como pude ver, lo que me enseñó en ocho horas valía como mínimo tres veces el precio del seminario. El principio más profundo que aprendí ese día es que uno de los mejores caminos hacia la riqueza es el de un sueño inspirado. Cuando tenemos una misión o finalidad superior a nosotros mismos, y nuestra visión trasciende el tiempo que vamos a vivir, nos convertimos en una especie de imanes para atraernos los recursos necesarios para realizar nuestras inspiraciones.

Todavía le agradezco a Sal el hecho de haberme dado el empujón en mi búsqueda de independencia económica. Me hizo un fabuloso regalo: comprender una circunstancia posible en mi negocio algún día. Gracias a él y a muchos otros, me he convertido en un experto en administración económica. Hay un sabio adagio que dice: «Si quieres la luz, pasa la antorcha». Actualmente estoy pasando la antorcha con mi programa Secretos de la Maestría Financiera, para que otros se beneficien con los conocimientos de la administración del dinero que tanto me han beneficiado tanto a mí y a mi misión.

Cuando se invierte juiciosamente en uno mismo y en los demás, la riqueza se multiplica

Jamás inviertas dinero en algo que coma o necesite reparación.

Billy Rose

- Pagarse uno mismo primero.
- Ahorrar al menos un 10 por ciento de lo que se gana.

- Invertir en inspiración, no en desesperación.
- No pagar el precio de aplazamientos.

Los ricos se pagan a sí mismos primero. Si te sientes culpable por pagarte tú primero o por recibir dinero por tus servicios, sería bueno que te preguntaras por qué. El Universo recompensa a aquellos que recompensan a otros y a sí mismos. Cuando gastamos e invertimos dinero con prudencia, éste nos vuelve multiplicado por diez. Si bien existen muchas y excelentes inversiones, siempre es más sabio invertir en las inspiraciones. Cuando recibas una idea inspirada para ti o para tu negocio, recompénsate haciendo un depósito en tu cuenta de ahorros o reservando más dinero para una inversión. Cuando inviertas en inspiraciones de otras personas, hazlo de forma anónima. De esa manera esas personas enviarán sus pensamientos de gratitud al mundo. En la vida se nos recompensa con el número de personas a las que uno contribuye a hacer más agradecidas.

No pagues el precio de los aplazamientos. El tiempo es dinero. Cada día que no ahorras es un día al que le añades más trabajo. El precio del aplazamiento es mayor de lo que parece ser a simple vista. Así por ejemplo, para tener 1.000.000 de dólares en la cuenta de ahorros a los 65 años sólo se necesita ahorrar unos 100 dólares al mes, a un 10 por ciento de interés anual, si se comienza a los 20 años. Si se espera a los 30 será necesario ahorrar unos 200 dólares al mes. Y a los 40, habrá que ahorrar unos 750 dólares al mes para tener esa cantidad a los 65 años.

Uno se puede atraer riqueza económica y tener una fabulosa valoración de la prosperidad sin que eso obstaculice el crecimiento personal y de inspiración. Cuando se mantiene equilibrada la percepción del dinero y éste se utiliza como vehículo para realizar las inspiraciones y finalidad última, se permite que la riqueza entre en la vida.

La verdad es...

El dinero no puede comprar la felicidad, pero tampoco la pobreza.

Anónimo

- La forma monetaria de la riqueza de la vida está hecha para ser valorada como un regalo y usada juiciosamente.
- Para que se mantenga en pie, un reino de riqueza ha de construirse sobre los cimientos del carácter y la integridad.
- Las finanzas prosperan cuando comenzamos a hacer lo que nos sentimos inspirados, y muy perfectamente designados, a hacer.
- Cuando se invierte con gratitud en las inspiraciones propias y de otras personas, se multiplica la riqueza.

Reflexiones

Tengo suficiente dinero para que me dure el resto de mi vida, a no ser que compre algo.

Jackie Mason

1. Dedica unos momentos a revisar mentalmente tu situación económica.
2. Piensa en una circunstancia en la que no seguiste una idea inspirada porque no te creías capaz de ganar el dinero o atraer a los inversores que necesitabas.

3. Piensa en una situación en la que te sentiste inspirado a hacer algo para lo cual no contabas con el dinero, pero confiaste en ser capaz de generarlo y tuviste éxito.

4. Explora tus sentimientos y opiniones acerca de la riqueza. Pregúntate por qué crees lo que crees y cuándo comenzaste a creerlo.

Realizaciones

Todo este dinero me resulta una carga considerable.

J. Paul Getty

En una hoja de papel traza tres columnas; en una de ellas escribe diez beneficios que te reportaría hacerte rico, en otra, diez obstáculos para hacerte rico, y en la otra diez formas de superar esos obstáculos.

Afirmaciones

• Invierto en mis inspiraciones y agradezco mis inversiones.

• Valoro la riqueza que tengo y sé que puedo ganar más.

• Soy un/a maestro/a de las finanzas y el dinero entra fácilmente en mi vida.

• Me atraigo el dinero y los recursos que deseo para contribuir a mi curación.

15

La actitud de servicio atrae abundancia y reconocimiento

Dios ama al que da con alegría.

2 Corintios 9:7

¿Damos tanto como nos gusta recibir?

Para atraernos la abundancia y el reconocimiento hemos de ofrecer servicio inspirado. Cuanto más juiciosamente damos, más recibimos. Este principio universal es de la mayor importancia en nuestra vida cotidiana. Si no recibimos todos los bienes que deseamos es porque no compartimos con los demás los bienes que tenemos de modo sabio y generoso. Siempre que deseemos aumentar nuestros ingresos deberemos poner el corazón y el alma en el trabajo. Siempre que queramos sanar nuestro cuerpo deberemos poner energía inspirada en nuestros deseos y hacernos humildes para ofrecer servicio a los demás. Sólo entonces recibiremos recompensas mejores.

Si esperamos que se materialicen nuestros sueños de abundancia y reconocimiento sin la disposición a servir a los demás, seguro que seremos decepcionados. Somos como transformadores de energía y sólo podemos aceptar tanta energía como la que liberamos. En pocas palabras, obtenemos lo que queremos tener en la vida ayudando a otros a obtener lo que quieren.

Con frecuencia las personas que no poseen la cantidad de abundancia o no reciben la cantidad de elogio y reconocimiento que desearían, se contrarían y amargan. Hace unos años asistí a la cena de despedida de un ejecutivo que se jubilaba. Me había consultado en varias ocasiones sobre el liderazgo de su empresa. La última vez que habló conmigo, unos días antes de retirarse, Jim me dijo:

—No veo el momento de marcharme de allí. Nunca hice lo que me correspondía por categoría ni recibí el reconocimiento que me merecía.

Le sugerí que le convenía equilibrar sus percepciones sesgadas haciendo el *Collapse Process*. Yo sabía que si lograba ver cómo le había servido su experiencia se podría retirar agradecido y no resentido.

Al principio no creía que le hubieran servido de nada sus experiencias, pero durante las dos horas siguientes comenzó a ver muchos beneficios. También empezó a comprender la parte de responsabilidad que tenía en cómo lo trataban los demás. Cuando salió de mi consulta me dijo:

—Gracias, doctor Demartini. Hoy he aprendido más que en los diez últimos años. Por suerte he podido hablar con usted antes de mi cena de despedida. Ahora mi discurso será muy diferente.

A la cena asistieron unas cincuenta personas. Por las conversaciones que oí en la mesa en la que yo estaba sentado, me di cuenta de que muchas de ellas estaban contentas de que se marchara. Tenía fama de atribuirse los éxitos de otros y de culpar rápidamente de los fallos a sus subordinados. Pero cuando se puso de pie para pronunciar su discurso, proyectaba tanta gratitud y energía amorosa, que alguien susurró cerca de mí: «¿Qué bicho le ha picado?».

Jim se aclaró la garganta y dijo: «Gracias, gracias por todas las veces que me suplisteis cuando yo no pude dar lo mejor de mí». Puso unos ejemplos concretos de ocasiones en que había culpado a otros por miedo a una reprimenda del consejo de dirección. También expresó su agradecimiento a varias personas a las que, según dijo, no había manifestado el reconocimiento por un trabajo bien hecho. Continuó mencionando y dando las gracias a todos aquellos que lo habían ayudado a triunfar. Cuando se le quebró la voz por la emoción, muchos de los presentes en la sala tenían los ojos llenos de lágrimas. Y al mostrarse humilde y manifestar su agradecimiento y aprecio, consiguió que los demás le dieran a su vez las gracias y le expresaran su reconocimiento. Las mismas personas que, sólo una hora antes, se mostraban más contentas que él por su retiro, comenzaron a darle las gracias. Le agradecieron las veces que las había apoyado y le reconocieron las cosas que hacía bien.

Nos elevamos en gloria cuando nos hundimos en orgullo

Dime de qué presumes y te diré de lo que careces.

Proverbio español

- La humildad nos impide elevarnos demasiado en la euforia y hundirnos demasiado en la depresión.
- No te atribuyas nada; no te culpes de nada. Simplemente ama.
- Cuando practicamos el amor y la gratitud con humildad, evolucionamos a una esfera más amplia de la vida.
- La verdadera gloria es la recompensa del servicio humilde.

La humildad es un ingrediente esencial para el crecimiento. Previene las peleas, acaba con la necesidad de estar a la defensiva y nos corona de honor. Genera respeto, atrae admiración y cultiva las amistades. La humildad nos sirve para recordar que tenemos muchísimo que aprender. Los más sabios reconocen que en realidad saben muy poco. Por mucho que sepamos, si nos comparamos con el magnífico Universo en que vivimos nuestro conocimiento es sólo una piedrecilla en la corriente eterna de la conciencia.

En el barrio de Houston en el que residí unos años, vivía una anciana sabia a unas cuantas manzanas de mi casa. Nunca supe su verdadero nombre, pero todos los chicos la llamábamos Nanny. Nos sacaba las espinas, nos vendaba las heridas de las rodillas, nos contaba maravillosas historias y preparaba los pasteles de pasas más exquisitos que he probado en toda mi vida. Sin embargo, por mucho que le agradeciéramos sus bondades, ella se limitaba a sonreír con humildad, miraba al cielo y decía: «Gracias a Dios». Era tan buena que se convirtió en una especie de leyenda. Por lo visto todo el mundo la conocía, todos cantábamos sus alabanzas y en un solo mes recibía más regalos de los que reciben algunas personas en varios años.

Unir los actos cotidianos con la finalidad

Si haces un buen trabajo para los demás, al mismo tiempo sanas tú, porque una dosis de alegría es una cura espiritual. Trasciende todas las barreras.

Ed Sullivan

- El servicio realizado con gratitud es una expresión directa de amor incondicional.
- Vivimos en el amor hasta el punto exacto en que expresamos amor.
- Ayudando a otros a manifestar sus sueños inspirados, podremos manifestar los nuestros.
- Cuando se unen los actos diarios con la finalidad inspirada, aumenta el magnetismo y se dispara el éxito.

Ayudando a otras personas a conseguir sus objetivos y cosechar recompensas, alcanzamos una paz mental que actúa como un entusiasmo magnético para atraernos la consecución de nuestros más acariciados deseos. Si unimos los actos diarios de servicio con nuestra finalidad inspirada aumenta nuestro magnetismo y se ensancha nuestra esfera de influencia. Este magnetismo es directamente proporcional a nuestra gratitud por la oportunidad de servir y a la claridad con que vemos cómo el servicio a los demás sirve a nuestra finalidad en la vida. Cuanto más nos motiva el corazón más recibimos a cambio de nuestro servicio inspirado.

Dar con la intención de recibir es una forma diferente de dar, más parecida al comercio o trueque. Esta forma de dar también tiene su lugar, pero no es la forma superior de dar y por lo tanto no cosecha las recompensas más elevadas. Simplemente hay que tener presente que los actos inspirados y el servicio a los demás producen una elevada vibración de energía y magnetismo, y los actos y servicios por el Universo producen energía radiante y magnetismo irresistible.

Hace unos cinco años asistió a la Experiencia Descubrimiento Anne, una joven que durante esos dos días descubrió que todas sus experiencias más inspiradas la estaban preparando para su misión y finalidad en la vida.

—He hecho tantas cosas diferentes que sólo me parecían un montón de acontecimientos desconectados —comentó—. Pero ahora veo una especie de pauta muy nítida que dirige toda mi vida. Me parece increíble que no la haya visto antes. —Relató sus experiencias con respecto a hablar en público, habló de los estudios de filosofía y comunicación interpersonal que había realizado y expresó su firme convicción de que todos tenemos algo único que ofrecer al mundo—. Mi misión en la vida es servir a los demás enseñando y escribiendo sobre el amor incondicional, para ayudarles a descubrir su propia genialidad.

Tenía muy clara su misión y se sentía muy estimulada.

—¿Cómo puedo pasar de trabajar en relaciones públicas a la empresa de enseñar y escribir?

Le ayudé a examinar cada una de las actividades que realizaba en su actual puesto de trabajo y a descubrir las formas en que cada una de ellas le podía servir para su nueva empresa. Llegó a un grado más profundo de gratitud por su trabajo, perfeccionó su visión de la misión de su vida y tuvo muchísimas ideas inspiradas. Más tarde me explicó que cuanto más ayudaba a otras personas a ver su propia magnificencia más apoyo recibía para abrir su nueva empresa. Actualmente sus enseñanzas y escritos sirven a las personas para descubrir sus inspiraciones y seguir sus sueños.

La verdad es...

Ninguna persona ha sido jamás honrada por lo que ha recibido. El honor ha sido la recompensa por lo que ha dado.

Calvin Coolidge

- Los actos amororos de servicio atraen la abundancia y el reconocimiento.
- Cuando humildemente atribuimos a otros el mérito que recibimos aumenta nuestro magnetismo.
- Unir nuestros actos inspirados de servicio con nuestra finalidad última nos atrae la energía y los recursos.
- Nos merecemos tantos bienes como los que con gratitud damos a otros.

Reflexiones

A veces ofrece tus servicios por nada.

Hipócrates

1. Recuerda una ocasión en que ayudaras a alguien a conseguir su objetivo y como resultado de ello recibieras ayuda de esa persona o de otras para conseguir el tuyo.
2. Piensa en una situación en la que mientras te felicitabas con orgullo te quitaron la silla para que te cayeras.

3. Recuerda un acontecimiento o situación en que hiciste un estupendo trabajo o lograste algo notable pero con humildad desviaste hacia otros los elogios recibidos. Cierra los ojos y revive la sensación de agrado y el calor del amor que sentiste en tu interior en ese momento.

4. Agradece las oportunidades que tengas de servir a otras personas.

Realizaciones

Ningún acto de amabilidad, por pequeño que sea, es desperdiciado.

Esopo

1. Anota tres consecuciones de las que te enorgullezcas.

2. Para cada una de ellas, escribe cinco formas en las que recibiste ayuda de otras personas.

3. Escribe los tres últimos actos de servicio que hayas realizado recientemente. Después cinco formas en que esos actos de amor te ayudaron a realizar tus sueños inspirados.

Afirmaciones

- Agradezco las oportunidades que se me ofrecen de ayudar a otras personas a realizar sus sueños inspirados.
- Soy humilde respecto a mis consecuciones y desvío los elogios hacia otros.
- Uno mis actos inspirados de servicio con mi finalidad última.
- Realizo las inspiraciones de mi corazón y mi recompensa es el amor incondicional.

16

Las expectativas infundadas llevan al resentimiento

Chifladura es poner a un tío en el pedestal más alto que se puede
construir y dos meses después desear que se baje de un salto.

Pintada en Nueva York

¿Nos dedicamos a construir pedestales?

Por lo general, las personas que construyen los pedestales más
altos experimentan los resentimientos más profundos en la
vida y cuanto más alto es el pedestal, más dura es la caída.
Cuando uno ve que todo es bueno en una persona, situación,
objeto o posesión, está en estado temporal de chifladura o ilusión; es decir, *se engaña*. La realidad de este Universo es dual,
de modo que por cada aspecto positivo que se percibe hay un

aspecto negativo para equilibrar la balanza. Podemos mantener los ojos y el corazón abiertos y ver ambos lados de las personas, acontecimientos y cosas de nuestra vida, o bien aferrarnos a nuestros pedestales imaginarios hasta que comiencen a desintegrarse y se caigan.

Lo que resulta irónico es que somos nosotros mismos los que nos creamos esas ilusiones que después nos causan resentimiento, y sin embargo, no hay ninguna necesidad de andar en ese círculo ilusorio, ya que tan pronto como las reconocemos podemos equilibrarlas y de esa manera aprender a ver la verdad.

Uno de los motivos de que algunas personas se apeguen a ilusiones desequilibradas es la búsqueda de fuentes no realistas de satisfacción fuera de sí mismas. Desean creer que ese nuevo trabajo, su coche o la casa de ensueño que se están construyendo les va a dar la felicidad. Se sienten eufóricas por su chifladura y se crean incontables expectativas nada realistas. Después, a medida que van descubriendo aspectos desagradables del trabajo, del coche o de la casa suelen sentirse decepcionadas. Lo mismo vale para las relaciones. Cuando la persona está eufórica y chiflada por una relación se convierte en una excelente candidata para vivir un sufrimiento afectivo.

Charlene, una joven que trabajaba en el departamento de ventas de un hotel de cuatro estrellas de Texas, ayudó a mi personal a planear un buen número de programas de éxito personal que presentamos en ese hotel. Entre ella y yo se había creado una buena relación de amistoso entendimiento; un día, cuando me estaba inscribiendo en el hotel se me acercó muy entusiasmada.

—Doctor Demartini, he conocido a un hombre maravilloso. ¡Es perfecto! Es guapísimo y muy inteligente. Tiene un trabajo fabuloso, es simpatiquísimo y le encantan los niños y los perros…

Estaba tan eufórica y tan enamorada que casi no lograba contener su energía emocional. Yo sabía que mientras no comenzara a equilibrar sus percepciones y a ver el cuadro completo, iba directa a la decepción, de modo que le dije:

—Me alegro mucho, me parece fantástico, Charlene. Ahora, dime lo que no te gusta de él.

—Doctor Demartini —dijo ella con las manos en las caderas—, ¿siempre hay que ser tan sensato? Ya se lo he dicho, este chico va en serio.

—Sí, y por eso mismo te iría bien ver y reconocer su otro lado.

Sonrió y me dijo que lo pensaría. No volvimos a hablar hasta la próxima vez que me alojé en ese hotel, unos tres meses después. Esta vez Charlene me dio las gracias.

—¿Sabe?, me alegro de que me recomendara que observara más detenidamente a Todd. Yo deseaba que él fuera mi caballero andante y me convencí de que lo era.

Me contó que ya no estaban saliendo.

—Gracias a Dios usted me animó a mirar el cuadro completo. No lo hice con mucho detenimiento, pero sí lo suficiente para darme cuenta de que Todd no era el único hombre sobre la Tierra. Y me fue bien porque tres semanas después de que hablara con usted él se marchó de la ciudad con una cantante.

La chifladura se apoya en una percepción sesgada

*Es chifladura cuando lo encuentras tan atractivo como Robert
Redford, tan inteligente como Henry Kissinger, tan noble como
Ralph Nader, tan divertido como Woody Allen y tan atlético como
Jimmy Connors. Es amor cuando te das cuenta de que es tan
atractivo como Woody Allen, tan divertido como Ralph Nader, tan
atlético como Henry Kissinger y no se parece en nada a Robert
Redford, pero de todos modos lo aceptas.*

Judith Viorst

- Cualquier persona o cualquier cosa de la que no logramos ver los dos lados nos gobierna la vida.
- La sensación o la creencia de que tenemos que poseer algo o a alguien es señal de que estamos chiflados por eso o por esa persona.
- Cuando sólo vemos lo bueno de una persona o situación, nuestra percepción está sesgada.
- El grado o la intensidad de la chifladura determina el grado o la intensidad del resentimiento que se podría despertar en nosotros después.

Hace unos años, después de hablar ante un grupo de directores y consejeros de belleza de Mary Kay Cosmetic en San Diego, tuve la oportunidad de atender en privado a algunos de ellos. En una de esas consultas una joven me preguntó si debía casarse con el hombre con quien salía. Le pedí que me hablara de él.

—Doctor Demartini —me dijo—, este hombre no tiene ningún defecto. Es todo lo que he deseado en mi vida. Todo en él me encanta.

Su descripción era demasiado parcial para ser cierta. Yo

sé que nadie puede estar a la altura de la imagen que ella daba de él y que esas expectativas tan poco realistas que tenía en esos momentos llevarían a cierto grado de resentimiento después. Le dije que no me parecía prudente que se casara con él en esa fase de su relación.

—Entonces, ¿qué cree que debo hacer? —me preguntó.

Le pedí que confeccionara una lista con todos los rasgos positivos que veía en el carácter de él. Ella la hizo rápidamente y puso más de sesenta puntos. Acto seguido le dije que al lado de esa primera lista escribiera todos los aspectos que consideraba malos o negativos. Inmediatamente se enfadó y se puso a la defensiva.

—Si tuviera tantos rasgos malos como buenos no estaría enamorada de él —espetó, ofendida.

Le expliqué que la descripción que hacía de él me parecía muy poco realista y que si no equilibraba sus percepciones y veía el cuadro completo en ese momento, cuando despertara a la realidad ya estarían casados.

También le dije que cuando vemos a la persona en su totalidad, es decir con las cosas que nos gustan y las que no nos gustan, tenemos más posibilidades de experimentar una relación más satisfactoria. Ella accedió a intentar equilibrar la lista de los rasgos que consideraba positivos y negativos. Tardó un buen rato, pero continuó explorando y esforzándose para obtener una lista con tantos aspectos negativos como positivos, y cuando repasó lo que había escrito se le llenaron los ojos de lágrimas.

—No he querido ver ninguna de las cosas que pensaba que podrían no gustarme en él —me dijo—. Simplemente, era mejor cerrar los ojos. Pero ahora que las he puesto por escrito y sacado a la luz, tengo una mejor idea de quién es en realidad.

Después le pedí que volviera a la lista de rasgos «buenos» y que mirara en su interior para encontrar en ella, uno a uno, esos rasgos que tanto admiraba y valoraba en él. Cuando terminó esa parte del ejercicio comenzó a comprender que en realidad no «necesitaba» tanto a ese chico como se había imaginado al principio. Empezó a comprender que de hecho ella tenía esos rasgos del carácter de él que ella creía que le faltaban. Superó sus sentimientos de codependencia y chifladura por él y al hacerlo superó también los obstáculos que estorbaban el amor incondicional equilibrado. Cuando llegó a ese plano de comprensión y gratitud, le empezaron a correr las lágrimas por las mejillas.

—Ahora sé que no lo necesito —dijo—, y que hay cosas en él que no me gustan, pero lo más increíble es que ahora sé que lo amo de verdad.

El resentimiento se instala cuando no se satisfacen las expectativas

La sabiduría llega a través de la desilusión.

George Santayana

- Cuando esperamos «todo lo bueno» de una persona o situación, nos disponemos para una ilusión rota.
- Cuando estamos resentidos nos rodeamos de un muro que repele la inspiración y bloquea nuestra capacidad de sentir amor incondicional en el alma y el corazón.
- Encontrar los aspectos buenos de las personas y situaciones que nos causan resentimiento equilibra nuestras percepciones sesgadas y nos ofrece otra oportunidad para expresar amor incondicional y gratitud por lo que es, tal y como es.

- La chifladura, no el amor incondicional, es lo contrario del odio, y es el estado en el cual caen tantas personas.

El resentimiento tiende a instalarse cuando no se satisfacen las expectativas que nos hacemos de alguna persona o situación. Cuando estamos resentidos pensamos que hay más aspectos negativos que positivos. Pero la realidad es que el resentimiento, como las chifladuras, se basa en juicios erróneos. Cuando equilibramos las percepciones y vemos a la persona o acontecimiento a la luz de la verdad, nos elevamos por encima de la chifladura y el resentimiento y experimentamos amor incondicional.

Hace poco atendí a Ken, un joven que estaba muy resentido con su esposa Lona.

—No sé qué ha ocurrido —me dijo en nuestra primera sesión—. Cuando estábamos saliendo ella era mi sueño hecho realidad, y ahora es mi peor pesadilla.

Le pedí que me hablara sobre la visión que tenía de Lona cuando eran novios y también le pregunté qué esperaba de ella como esposa. Durante la conversación quedó claro que lo que él consideraba correcto en su novia no lo consideraba bien en su esposa. Tenía un buen número de expectativas tácitas respecto a cómo deseaba que actuara y lo tratara, y se sentía resentido porque ella no satisfacía sus deseos. Le propuse hacer el *Collapse Process* para ayudarle a equilibrar esas percepciones y a ver la magnificencia de lo que en realidad estaba experimentando. Cuando terminó el proceso le escribió una carta a Lona expresándole su gratitud por ser exactamente como es. Ken comprendió que el resentimiento y sufrimiento que había sentido se basaban totalmente en sus juicios erróneos y en sus expectativas ocultas no realistas.

La verdad es...

No es el amor el ciego sino la falta de amor.

Glenway Wescott

- Cuando sólo vemos lo que consideramos positivo en una persona, cosa o acontecimiento, estamos chiflados por eso.
- Basar las expectativas en ilusiones las hace no realistas.
- El resentimiento y la decepción suelen ser consecuencia de chifladuras e ilusiones engañosas.
- Cuando equilibramos las percepciones y valoramos la perfección de la verdad, experimentamos amor incondicional y sanamos.

Reflexiones

La verdad os hará libres.

Juan 8:32

1. Recuerda tu chifladura más reciente por una persona, cosa o situación.
2. Piensa en lo que dijiste y pensaste de esa persona, cosa o situación durante la fase de chifladura.
3. Ahora recuerda lo que dijiste y pensaste de esa misma persona, cosa o situación cuando te diste cuenta de que tenía tantos aspectos negativos como positivos.
4. Pregúntate qué esperabas al principio de esa persona, cosa o situación.

Realizaciones

Muchas veces el gran enemigo de la verdad no es la mentira deliberada, tramada e insincera, sino el mito persistente, persuasivo y no realista.

John F. Kennedy

1. Escribe el nombre de la persona, cosa o situación por quien o por la cual estás más chiflado/a en estos momentos

2. Haz listas de diez rasgos de carácter o características que te gusten y diez que no te gusten del objeto de tu chifladura.

3. Ahora repasa las diez características que te gustan. Rodea con un círculo la que crees que en mayor medida te falta a ti o en tu vida.

4. Piensa en tres ocasiones en que demostraste poseer ese rasgo de carácter o característica que crees que te falta. Escríbelas.

Afirmaciones

- Equilibro mis percepciones para ver, valorar y amar la verdad.
- Agradezco mi capacidad para reconocer el equilibrio en todo lo que experimento.
- Derribo mis ilusiones y convierto en amor mi resentimiento.
- Acojo la gracia y la curación del amor incondicional de mi alma y corazón.

17

Todas las personas
son nuestros espejos

Una persona amante vive en un mundo amante. Una persona hostil
vive en un mundo hostil. Todas las personas que conocemos son
nuestros espejos.

Ken Keyes, hijo

¿Quién nos gobierna la vida?

¡Es muy posible que no sea uno mismo! Tenemos una forma
extraña de permitir que personas por quienes estamos chiflados, y personas con quienes estamos enfadados, dominen
nuestros pensamientos y conversaciones y, a veces, incluso nos
hagan enfermar. Pero cuando vemos que tenemos todas esas
mismas características que nos gustan o nos disgustan en los
demás, tenemos el poder para llevar las riendas de nuestra
vida.

No hace falta ser un gran observador para advertir que
nos quedamos atrapados en lo que sentimos por y opinamos

de otras personas. Muchas personas se pasan la mayor parte del tiempo quejándose de ciertas personas mientras cantan las alabanzas de otras. Tendemos a detestar a aquellos que manifiestan los rasgos de carácter que no queremos reconocer ni amar en nosotros mismos, y por lo general nos caen bien los que reflejan las características que respetamos y valoramos en nosotros.

Pero no hay por qué permitir que otras personas nos gobiernen la vida, con sólo reconocer que lo que se ve en los demás es un reflejo de uno mismo, podemos desarrollar la capacidad de liberarnos. Tan pronto como vemos en qué ocasiones hemos manifestado esos rasgos que nos disgustan en los demás, comenzamos a entender de qué manera esos mismos rasgos nos benefician a nosotros y a los demás. Nos guste o no, todo rasgo o característica sirve a una finalidad. Por otra parte, una vez que recordamos la ocasión en que manifestamos esos mismos rasgos que nos gustan y admiramos en otras personas, comprendemos que también los tenemos y que también sirven a una finalidad.

Cuando enseño el concepto de que los demás son nuestros espejos, suelo explicar también el caso de un joven que estaba a punto de cumplir su primer año de casado. Brian me llamó exasperado porque había discutido con su esposa Carol. La encontraba fabulosa y consideraba que los dos eran muy compatibles, pero le fastidiaba mucho la relación que su mujer tenía con su mejor amiga, Sandy. Carol estaba enfadada porque él rara vez accedía a invitar a Sandy y a su marido a casa, ni quería salir con ellos, y también porque no le gustaban las frecuentes visitas de su amiga.

—Uno diría que al ser tan parecidos Carol y yo —me dijo—, yo tendría que llevarme bien con su mejor amiga, pero son muchas las cosas de Sandy que me fastidian.

Le expliqué que en alguna u otra ocasión todos exhibimos los muchos rasgos de personalidad que tenemos, tanto los que nos gustan como los que nos disgustan. Algunos solemos desarrollar y expresar temporalmente unos más que otros, pero de hecho todos tenemos la paleta completa, de modo que toda persona que conocemos es nuestro espejo. Para ilustrar este principio le pedí que me dijera tres cualidades de Carol que también le gustaran de él.

—Tiene muchísima energía, es inteligente y divertida —contestó rápidamente.

Le pedí entonces que pensara en Sandy y me dijera tres características de ella que no le gustaran y que tampoco le gustaran en él. Esta vez tardó algo más en responder.

—No se me ocurre nada.

Lo animé a concentrarse más.

—Bueno, es impaciente y yo también soy impaciente.

—Fantástico. ¿Y otras dos más?

Se quedó un momento pensando en silencio y finalmente declaró:

—Siempre tiene que ser la primera en ir a algún sitio nuevo o de moda para después jactarse de ello.

Le pregunté si a él también le gustaba ser el primero en experimentar cosas o lugares nuevos. Contestó que disfrutaba yendo a restaurantes, tiendas y clubes nocturnos nuevos para «tener la primicia», aunque a diferencia de Sandy, él no se jactaba en absoluto de ello.

—¿Nunca le comenta a nadie sus descubrimientos o aventuras?

—Bueno, sí, normalmente se los comento a mi cuñado Bob. Es un mandamás de una importante empresa y siempre presume de conocer todos los lugares interesantes de la ciudad. Casi le da un ataque cada vez que comento, como quien no quiere la cosa, la noche tan fabulosa que pasé en un sitio que él no conoce. Oiga, pero eso no es jactarse, ¿eh?

Lo felicité por haber pensado en otras dos cosas: desear ser el primero y aprovechar la oportunidad para jactarse un poco.

—De acuerdo, Sandy y yo tenemos algunas cosas en común. Pero, ¿y eso cómo resuelve mi problema? —me preguntó.

Le expliqué que los únicos rasgos de personalidad que vemos en los demás son los que tenemos en nosotros. Le sugerí que Carol reflejaba muchos de los rasgos que a él le gustaban de sí mismo, mientras que Sandy reflejaba los que le disgustaban de sí mismo.

—Cuando vea que Sandy hace algo que no le gusta, pregúntese cuándo y dónde ha hecho usted eso mismo. Después repase esas ocasiones y descubra de qué manera beneficiaron a alguien.

—Entonces, supongo —dijo después de un largo silencio— que con eso podría descubrir maneras con las que Sandy de alguna forma me beneficia. —Se echó a reír y añadió—. Muy bien, pero si cualquier otra persona me hubiera dicho que ella en el fondo me está haciendo un favor, yo lo habría negado rotundamente.

Las personas con quienes nos relacionamos nos muestran quiénes somos y nos dan la oportunidad de amarnos a nosotros mismos

Las personas con quienes nos relacionamos son siempre un espejo que refleja nuestras creencias y a la vez nosotros somos espejos que reflejan sus creencias. Así la relación es uno de los instrumentos más potentes para el crecimiento. Si miramos sinceramente nuestras relaciones podremos ver mucho de cómo las hemos creado.

Shakti Gawain

- Si uno aprecia un rasgo en alguien puede encontrarlo en sí mismo/a.
- Si uno admira a alguien por su talento creativo, eso quiere decir que también es creativo/a, aunque es posible que todavía no haya descubierto o reconocido sus dotes.
- Si disfrutamos de la compañía de una persona por su sentido del humor, eso quiere decir que también poseemos sentido del humor.

La naturaleza humana nos induce a buscar la compañía de personas que tienen los rasgos de carácter que nos gustan en nosotros mismos. Eso es autoafirmador. Cuando conocemos a alguien con quien creamos lazos, solemos decir que «somos muy parecidos», aunque probablemente lo que ocurre es que nos estamos fijando en las partes «agradables» de esa persona.

A veces valoramos un rasgo de carácter o una capacidad en otra persona porque creemos que no los poseemos. Pero si somos capaces de verlos y valorarlos en ella es porque también los tenemos nosotros. Nos relacionamos con personas que nos reflejan. La finalidad del matrimonio y de las amistades no es lo que llamamos «felicidad», como algunos podrían imaginar, sino el descubrimiento de nosotros mismos. Nos conocemos a nosotros mismos a partir de que nos relacionamos con nuestra pareja, amigos, compañeros de trabajo, socios, colegas y conocidos.

Las personas que más nos irritan son las que más nos conviene observar, porque nos reflejan esas cosas nuestras que no hemos aprendido a agradecer y a amar. Puesto que nuestra misión es descubrir lo que no amamos y aprender a amarlo, nuestros mejores maestros los hallamos entre las personas que más nos fastidian.

Hace un año asistió a mi programa Profecía un joven llamado Steven. En la pechera de su camiseta llevaba pintada una hermosa rosa con todos sus detalles. Una de las participantes, Nancy, le elogió la rosa y le preguntó dónde había comprado esa magnífica obra de arte; entonces él comenzó a ruborizarse y casi como pidiéndole disculpas le explicó que la había pintado él mismo con un aerógrafo.

—¡Eres un artista! —exclamó ella.

—Uy, no —protestó él, aún más azorado—, no soy ningún artista. Me gustan las grandes obras de arte y ojalá tuviera el talento para crearlas, pero disto mucho de ser un artista.

Así continuaron discutiendo hasta que intervine yo para explicarles que ninguna persona puede valorar en otra un talento que no tenga también ella. Nancy aprobó mis palabras con entusiasmo y entonces yo le pregunté de qué forma expresaba ella sus condiciones artísticas. Enseguida alegó que no tenía dotes artísticas. Yo le repetí el principio de que no sería capaz de apreciar la creatividad de Steven si no la tuviera ella también, y después de discutirlo un poco reconoció que se le daba muy bien la decoración de interiores.

El hecho de que en este momento no seamos expertos en

algo no significa que no tengamos lo necesario para serlo. Todo experto comienza como aficionado. Actualmente Steven usa su aerógrafo para crear hermosos cuadros y también ha vuelto a poner en práctica sus dotes como fotógrafo. Admite que reconocer al pintor que lleva dentro fue la parte más iluminadora y más difícil en el proceso de desarrollo de su talento. Le encantaría crear algún día buenas obras de arte, lo suficientemente buenas como para exponerlas en galerías y museos, y sabe que está en el camino de conseguirlo.

A veces resulta difícil ver que tenemos las cualidades y talentos que admiramos en otras personas. Pero aún puede resultar más difícil aceptar que también poseemos los rasgos que no nos gustan de los demás.

Nos guste o no, lo que vemos en los demás es reflejo de lo que somos

> *Mi esposa era básicamente inmadura. Cuando yo estaba en la bañera venía ella y me hundía los barcos.*
>
> Woody Allen

- Sólo podemos ver en los demás lo que existe en nosotros.
- Si a uno le molesta una persona a la que considera grosera, quiere decir que uno también tiene la capacidad de ser grosero/a.
- Cuando nos desagradan o juzgamos los actos o comportamientos de alguien, se debe a que son un recordatorio de lo que todavía no amamos en nosotros mismos.
- Nos amamos tanto como amamos a los demás; amamos tanto a los demás como nos amamos a nosotros mismos.

Hace unos meses vino a verme Martha a la consulta. Me contó que su padre había muerto y su madre estaba llegando a ese punto en que ya no era capaz de cuidarse sola. Pensaba que debía decirle que se fuera a vivir con ella, pero la sola idea de hacerlo le daba miedo.

Comenzó a explayarse en los incontables defectos de su madre. Al final, le pedí que hiciera una lista de las diez cosas que menos le gustaban de ella y rodeara la que más le disgustaba con un círculo. Cuando acabó, vi que había rodeado con un círculo la palabra «sabelotodo».

—Dame un ejemplo de lo sabelotodo que es tu madre.

—Uy, hay millones. La semana pasada, sin ir más lejos, me llamó para preguntarme cómo me había encontrado el médico. Le dije que según él, tenía la tensión alta, y enseguida empezó a hablar sin parar de cómo debía vivir, qué debía y no debía comer y de lo bien que estaría si siguiera sus consejos.

—¿Y los consejos eran buenos? —le pregunté.

Martha reconoció que algunos eran exactamente los mismos que le había recomendado el médico, pero añadió:

—Tengo treinta y cuatro años, y no hay nada que mi madre me pueda decir que yo no sepa ya.

Me quedé callado un rato para dejar que ese comentario flotara en el silencio de la sala, y después le dije:

—Así que te molesta tu madre porque es una sabelotodo y tú ya lo sabes todo.

—Exactamente.

—¿Significa eso que tú también eres una sabelotodo?

La verdad nos libera, pero al principio normalmente nos sorprende o enfurece. Martha y su madre todavía tienen lo que ellas llaman sus diferencias, pero ella ha comprendido que hay mucha verdad en la afirmación de que lo que nos fastidia en los demás es lo que no hemos aprendido a amar en nosotros mismos. Ha aprendido muchísimo acerca de sí misma desde que su madre se fue a vivir con ella, y aunque no le agradan mucho algunos aspectos de ese nuevo conocimiento, agradece tener un espejo tan fiel.

Nuestros espejos humanos siempre reflejan nuestra realidad, pero, al menos al principio o en lo inmediato, es más fácil juzgar y criticar que mirarnos en ellos a nosotros mismos con sinceridad y objetividad. Ahora bien, a la larga hemos de aprender a conocernos en lo que nos reflejan los demás, para poder desarrollarnos y crecer. Lo que ocurre es que a veces nuestro sufrimiento y desagrado erigen un muro entre nosotros y las personas que no nos caen bien. Lo curioso del caso es que cuanto más nos disgusta y criticamos un rasgo de carácter de otra persona más lo tenemos nosotros.

Hace poco trabajé con Paul, un hombre que perdió a su hija, Beth, en un accidente de coche, al chocar contra otro vehículo conducido por una persona que iba borracha. Paul culpaba al conductor borracho y se culpaba a sí mismo por haberle prestado el coche a su hija; incluso culpaba a Dios. Se sentía furioso y deseaba vengarse. Me explicó que no quería entablar una demanda judicial porque la justicia jamás le devolvería a su hija. Le pregunté de qué forma se la iba a devolver la venganza y me contestó que aunque sabía que eso no se la devolvería, que deseaba que el hombre que mató a su hija se sintiera tan desgraciado como él.

Continuamos hablando de la situación y me dijo que el acto de matar a alguien era el peor que podía cometer una persona, y me aseguró que él jamás había hecho nada que pudiera poner en peligro a alguien.

—¿Nunca ha conducido después de tomar algunas copas? —le pregunté.

—Bueno, sí, pero no borracho.

—¿Sabe que incluso una copa puede hacer perder los reflejos?

—A mí una copa no llega a hacerme perder los reflejos. He conducido perfectamente bien incluso después de haber bebido dos o tres copas. El hombre que mató a mi hija iba tan borracho que casi no podía caminar.

—Pero conducir después de haber bebido dos o tres copas, ¿no podría dismunuir sus reflejos lo suficiente como para poner en peligro la vida de otra persona?

Comenzó a enfadarse y se levantó de la silla.

—¡Jamás he conducido estando tan borracho que no pudiera caminar en línea recta! No soy como el hombre que asesinó a Beth.

Durante la siguiente hora comprendió que, de hecho, en su vida sí había tomado muchas decisiones que podrían haber puesto en peligro la vida de otras personas. Había conducido y trabajado con máquinas después de haber tomado medicamentos que producen somnolencia, a pesar de que las indicaciones le advertían que no lo hiciera mientras estuviera en tratamiento. También recordó haber bebido y conducido cuando prestó juramento en una fraternidad universitaria. Como parte de la iniciación bebió medio litro de vodka, después condujo hasta el otro extremo de la ciudad para asistir a una fiesta, en la que bebió varias cervezas y por último condujo de vuelta a casa. Reconoció que a veces sobrepasaba el límite de velocidad y que en varias ocasiones de regreso a casa por la noche había comenzado a quedarse dormido al volante.

Cuando acabó nuestra sesión, sabía que tenía más cosas en común con el conductor borracho de las que se había imaginado. Me dijo que sus recuerdos lo hacían sentirse humilde y triste por haber puesto en peligro la vida de otras personas y la suya propia.

Yo deseaba que viera cómo sus actos, incluidos aquellos cuyo recuerdo le causaban tristeza, le servían a él y a otras personas de alguna manera. Así pues, le pedí que repasara esos recuerdos y buscara al menos un modo en que cada uno de sus actos le fueran útiles a él y a otra persona. Al principio se resistió a hacerlo, ya que según él no podía concebir que su decisión de conducir después de haber bebido o cuando estaba agotado pudiera haberle servido de algo a él o a otra persona. Le propuse entonces que considerara de qué forma le servían en ese momento.

Se quedó en silencio un rato y finalmente se echó a llorar.

—Supongo que nunca he valorado de verdad mi vida. Estaba dispuesto a correr riesgos porque no comprendía el regalo que es estar vivo. Pero ahora tendré más cuidado a la hora de conducir y estoy seguro de que eso me será útil a mí y a las demás personas que van por la carretera.

También comenzó a comprender que la muerte de Beth le había despertado el amor por otros familiares y amigos.

—Beth me ha ofrecido una nueva oportunidad en mi vida —dijo—; la de valorar lo que tengo y de aprender a amarme y amar a los demás. He tenido muy cerrado el corazón, y ahora noto que se me ha abierto.

La verdad es...

Hay esperanza para nosotros cuando podemos mirarnos en el espejo y reírnos de lo que vemos.

Anónimo

- Los muchos espejos de la vida son nuestros maestros y sanadores.
- Cualquier cosa que podamos ver con claridad y equilibrio ya no nos dirigirá ni estorbará la mente o el cuerpo.
- Nos amamos a nosotros mismos tanto como amamos a los demás.
- Amamos a los demás tanto como nos amamos a nosotros mismos.
- Lo que sea que veamos en otras personas, lo consideremos bueno o malo, lo tenemos en nuestro interior.
- Lo que sea que admiremos en otra persona lo tenemos en nuestro interior.
- Lo que sea que nos fastidie de otra persona lo tenemos en nuestro interior.
- Podemos aprender a apreciar y a amar lo que sea que tengamos dentro. Ese es uno de los secretos de la curación.
- La vida es una pantalla: refleja lo que proyectamos.

Reflexiones

Solemos elegir a los amigos como se elije a una amante; no por alguna cualidad especial sino simplemente por alguna circunstancia que halaga nuestro amor propio.

William Hazlitt

1. Piensa en tres cosas que hayas admirado en alguien y que después hayas tratado de hacer o lograr tú.
2. Piensa en algo que juraste no hacer jamás pero que hayas hecho.
3. Piensa en tres elogios que has hecho a otras personas y que otras personas te hayan hecho a ti.
4. Piensa en tres cosas que hayas criticado a otras personas y que otras personas te hayan criticado a ti.

Realizaciones

El reflejo de uno mismo es la escuela de la sabiduría.

Baltasar Gracián y Morales

1. Anota tres rasgos de carácter que admires de otras personas.
2. Anota tres rasgos de carácter que te fastidien de otras personas.
3. Anota tres ejemplos concretos de ocasiones en que hayas exhibido cada uno de los rasgos de carácter que admiras.
4. Anota tres ejemplos concretos de ocasiones en que hayas exhibido cada uno de los rasgos de carácter que te fastidian.

Afirmaciones

- Lo que sea que veo en otros lo tengo yo.
- Lo que sea que veo en otros me sirve para amarme.
- Lo que sea que veo en otros me sirve para sanar.
- Amo a mis reflejos como a mis mejores maestros.
- Agradezco los muchos espejos de la vida.

18

Lo que decimos a los demás nos lo decimos a nosotros mismos

Hablemos de lo que hablemos, hablamos de nosotros mismos.

Anónimo

¿De qué hablamos?

Tendemos a hablar de lo que más nos interesa. Si a una persona le gustan los deportes, habla de deportes; si le gusta la política, habla de política y si le interesan los detalles de la vida de otras personas, habla de esas personas. Al margen del tema de conversación, las afirmaciones que hacemos son reflejo de lo que nos decimos a nosotros mismos o de cosas que creemos

178

que necesitamos oír. Por ejemplo, si dos personas se disponen a pasar por un estrecho sendero en la empinada ladera de una montaña, la que dice «hagas lo que hagas, no mires hacia abajo», lo más seguro es que se lo esté diciendo a sí misma.

Después de estudiar durante años el lenguaje humano y sus orígenes, los lingüistas modernos han llegado a la conclusión de que la expresión verbal ha evolucionado a partir de los pensamientos y diálogo interior. Al parecer, la primera finalidad del lenguaje era entenderse a sí mismo antes que comunicarse con los demás. Por lo tanto, las palabras que empleamos, los consejos que damos y los temas que elegimos son todos mensajes destinados también a nosotros mismos. Así pues, si estamos sanando de una enfermedad, los mensajes que damos pueden servirnos para conocer algunas de nuestras percepciones.

No hace mucho, en uno de mis programas de éxito personal, el *Empyreance*, pude comprobar la demostración de este principio. El curso tiene una duración de diez días, durante los cuales oí cómo Don, uno de los participantes, le decía a tres personas distintas que estaban capacitadas para poner en marcha una empresa propia. Después de oírle por tercera vez le pregunté qué tipo de empresa deseaba montar.

—Bueno, soy ingeniero —me dijo sorprendido.

—¿Qué negocio deseas iniciar, Don? —le repetí sonriendo.

Él guardó silencio un momento y después contestó:

—En realidad me gustaría abrir mi propio restaurante.

Cada vez que Don le decía a alguien que podía tener éxito en un negocio también se lo decía a sí mismo. Así pues, cuando uno se escucha lo que dice se entera de lo que desea escuchar. Y si bien este conocimiento puede resultar humillante, también puede ser la puerta hacia un grado de comprensión y amor más profundo.

Escucharse

Si nadie dijera nunca nada a menos que supiera bien lo que dice,
sobre la Tierra descendería un horroroso silencio.

Alan Herbert

- Las palabras que empleamos nos dan pistas sobre nuestro estado mental.
- Cuando pensamos que a alguien le falta un rasgo de carácter tal vez tememos que nos falte a nosotros.
- Si escuchamos nuestras quejas oiremos nuestras justificaciones y racionalizaciones.
- Cuando nos oímos decir «siempre» o «nunca» sabemos que probablemente es mentira.

Siempre que hacemos continuas afirmaciones del tipo «Tengo que hacer esto» o «Debo hacer aquello» nos tragamos la ilusión de que otras personas y circunstancias dirigen nuestra vida. Cuando nos oímos decir cosas como «He decidido hacer esto» o «Me encanta hacer aquello», lo que estamos haciendo es escuchar la voz de la autorrealización, que nace de nuestro conocimiento interior de que estamos al mando de nuestra vida. Pero la mayoría de las personas dudan entre seguir su voz interior de verdadera inspiración o seguir las voces exteriores de la desesperación de los demás. Actuar movidos por la desesperación suele ser el resultado de pensar que nos falta algo en la vida.

Si deseas descubrir qué crees que no tienes, escucha lo que piensas y dices que los demás no tienen. Por ejemplo, si para ti tiene mucho valor la eficicacia y no eres todo lo eficaz que deseas ser, tal vez te escuches quejarte de la ineficacia de otras personas.

En general, cualquier queja respecto a otra persona representa una parte propia que no hemos visto equilibrada ni aprendido a amar. Por lo tanto, si te quejas de que una persona es una «terrible embustera», seguro que tú mismo has dicho unas cuantas mentiras gordas, pero cuando equilibras tus percepciones de las mentiras que has dicho y valoras los beneficios de las lecciones que has aprendido de ellas, dejas de tener esos sentimientos negativos tan fuertes respecto a las mentiras de esa otra persona. Cuanto más miramos las justificaciones y racionalizaciones de nuestras mentiras, con más claridad vemos lo que nos estorba y encontramos la forma de superarlo. Dos de las maneras más fáciles para reconocer que estamos mintiendo son las palabras «siempre» y «nunca». Cuando usamos una de estas dos palabras, generalmente lo que decimos es parte de una mentira, y cuanto más firmemente aseguramos que «nunca» vamos a hacer algo, más pronto podemos vernos haciéndolo.

El otro día me detuve a admirar un anillo en una joyería de San Diego cuando de repente oí una voz conocida a mis espaldas. Era Chris, uno de mis clientes. Me sonrió de oreja a oreja y me dijo que estaba eligiendo un anillo de compromiso para su novia Joyce. Lo felicité y él me preguntó:

—¿Recuerda lo que le dije la última vez que le vi?

Me puse un momento a pensar y recordé que en nuestra última entrevista me juró que nunca más volvería a enamorarse. Pero antes de que pudiera contestarle me explicó:

—Usted me dijo que cuanto más firmemente jurara que jamás volvería a enamorarme, probablemente más pronto me enamoraría de nuevo. Pues tenía razón. Conocí a Joyce justo un mes después de jurar que renunciaba a las mujeres.

Prestar atención a los consejos que damos

Practica lo que predicas.

Tito Maccio Plauto

- Cuando ofrezcas orientación a alguien, escucha las perlas de sabiduría que te ofreces a ti mismo.
- Cuando vemos posibilidades de progreso en otra persona vemos posibilidad de progreso en nosotros mismos.
- La dirección que indicamos a otros podría ser la dirección que más deseamos seguir.
- Cuando comprendemos y valoramos que somos una expresión de la perfección del Universo, nos quedamos mudos de amor incondicional.

Una vez le pregunté a Nick, un niño de siete años, qué pensaba que significaba la frase «practica lo que predicas». Me dijo que significaba que no hay que decirle a alguien que haga algo que uno mismo no vaya a hacer. Y me puso un ejemplo: «No debo decirle a mi hermana que deje ordenados sus juguetes si yo no ordeno los míos». Ciertamente Nick entendía el significado elemental de este consejo. Pero lo que todavía no entendía es que predicamos lo que creemos que necesitamos oír. Por eso los consejos que damos a los demás suelen ser consejos para nosotros mismos. Así pues, es lógico que nuestras opiniones sean más útiles para nosotros que para los demás porque se basan en nuestras experiencias vitales únicas.

Hace varios años vino a verme Tami. Era una madre soltera, y estaba muy preocupada por su hija de quince años Kristen. Me dijo que hiciera lo que hiciera no conseguía convencerla de que dedicara más tiempo al estudio. Le pregunté si a Kristen le iba mal en alguna asignatura.

—¿Por qué piensa que podría irle mal? —me preguntó—. No saca sobresalientes ni notables, pero tampoco le va mal —me aseguró.

Seguimos conversando y me dijo que tenía miedo de que si su hija no sacaba notas altas no la aceptaran en la universidad.

—Tiene que esforzarse más y tener claras sus prioridades.

Mientras yo la escuchaba pensé que la angustia que sentía por las notas de su hija era un reflejo de su miedo al rechazo. Le pregunté si había ido a la universidad; bajó la cabeza y respondió:

—No, pero algún día iré.

Tami descubrió que su deseo de asistir a la universidad era mucho mayor de lo que quería admitir. Cada vez que animaba a Kristen a estudiar y a sacar buenas notas pensaba que ojalá hubiera hecho caso de los consejos que le daba su madre cuando estaba en el instituto de enseñanza secundaria. También reconoció que en esos últimos años su insistencia a Kristen para que estudiara no había influido mucho en sus notas. Accedió a comenzar a seguir ella sus propios consejos. En lugar de vigilar a Kristen cada noche para que estudiara, comenzó a estudiar ella. Se matriculó en un curso de preparación del examen de admisión en la universidad y decidió comenzar a visitar las universidades de la región.

Al cabo de unos seis meses volvió a verme y me dijo:

—Me ha ido fabulosamente bien en los exámenes de admisión y ahora estoy tratando de decidirme entre dos institutos universitarios diferentes.

La felicité y le dije que me parecía fantástico su éxito y le pregunté qué tal le iba a Kristen.

—Eso es lo más extraño de todo —me contestó—. En cuanto dejé de presionarla para que estudiara más, vi que lo hacía sola. Y el último trimestre obtuvo matrícula de honor.

La verdad es...

No se necesitan muchas palabras para decir la verdad.

Inmuttooyahlatiat (Jefe Joseph)

- Con frecuencia decimos en voz alta lo que necesitamos oír muy suavemente en el corazón.
- Nuestras palabras reflejan el modo en que nos vemos a nosotros mismos y a nuestro mundo.
- Cuando damos un consejo a alguien, también es válido para nuestra vida en cierto momento y en cierta forma,
- Nuestras quejas atañen a los aspectos de nuestra vida que aún tenemos que aprender a valorar y a amar.

Reflexiones

Él le dio el habla al hombre y el habla generó el pensamiento, que es la medida del Universo.

Percy Bysshe Shelley

1. Repasa las conversaciones que has tenido hoy y fíjate si has dicho «tengo que» y «debo» más veces que «decido» y «me gusta».
2. Prométete comenzar a prestar atención a lo que dices.
3. Recuerda la última vez que juraste no hacer jamás una determinada cosa.
4. Recuerda cuánto tiempo pasó hasta que la hiciste.

Realizaciones

Aprende a estar en silencio. Que tu mente callada escuche y asimile.

Pitágoras

1. Si te pidieran dar tres sabios consejos a los demás, ¿cuáles serían? Escríbelos.
2. Busca una manera de aplicar a tu vida cada uno de esos consejos y ponlo también por escrito.
3. Piensa en tu principal queja respecto a otras personas en general, o respecto a una en particular, y escríbela.
4. Ahora escribe tres maneras en que hayas realizado ese mismo acto o comportamiento en uno de los siete aspectos de tu vida (social, familiar, vocacional, económico, físico, mental o espiritual).

Afirmaciones

- Presto atención a la sabiduría oculta que hay en las palabras que dirijo los demás.
- Cuando me oigo quejarme me pregunto qué trato de equilibrar y amar.
- Cambio mi vida cambiando mis palabras.
- Sano mi cuerpo amándome.
- Sano mi vida amando la perfección del Universo.

19

Deseamos aquello que creemos no tener

La hierba parece más verde al otro lado de la verja.

Proverbio tradicional

¿Qué creemos que nos falta?

Son muchas las personas que tienen la sensación de que les falta algo a su vida y, en la mayoría de los casos, le dan una gran importancia a eso que creen que les falta. La persona que no tiene pareja, quizá vea como prioritario tener una. La que carece de la calidad de salud que desea, probablemete le dará mayor importancia a la curación. Si es dinero lo que más desea, tal vez le dé mayor importancia a ganar más, o si cree que le falta un buen trabajo, a encontrar uno.

Es decir, los vacíos que consideramos más grandes se convierten en lo que más valoramos. Pero la verdadera sensación de realización no está en los acontecimientos, posesiones materiales, empleo y ni siquiera en otras personas, porque la verdad es que cualquier cosa que podamos ver fuera de nosotros la tenemos dentro. Cuando valoras un rasgo de carácter de otra persona, has de saber que ya lo tienes en tu interior. Lo mismo vale para las posesiones. En realidad no es la posesión lo que valoramos sino lo que significa o representa para nosotros, y sea lo que sea lo que represente, lo cierto es que de alguna forma ya lo tenemos en nuestra vida.

En uno de mis programas de éxito personal conocí a Paula, una mujer que estaba convencida de que su vida cambiaría milagrosamente si conseguía comprarse un lavavajillas automático. Sentía una terrible necesidad de tener más tiempo libre y según ella, el lavavajillas le resolvería sus problemas ya que significaría un enorme cambio en su vida. Le sugerí que equilibrara esa chifladura y le recordé que cuando llenamos un vacío descubrimos otro.

Hace unas semanas me envió una carta en la que me decía: «Tenía usted razón cuando me dijo que tan pronto llenamos un vacío aparece otro. Después de comprar el lavavajillas y de tener más tiempo libre me di cuenta de lo gorda que estaba. Así que ahora lo más importante es recuperar la figura». Con la carta me envió una fotografía en la que aparecía junto a un aparato para hacer ejercicio en casa. Al pie había escrito: «Se enfrió mi romance con la Maytag y mi nuevo «vacío hecho realidad» es este precioso aparato de culturismo».

Cuanto mayor es el vacío mayor es su importancia

Tener un motivo de queja es tener una finalidad en la vida.

Eric Hoffer

- Cualquier cosa que creemos que nos falta es lo que más deseamos.
- En realidad tenemos todos los rasgos de carácter, pero es posible que aún no los hayamos visto.
- Cuando se llena el vacío de la principal prioridad ocupa su lugar en la cola el siguiente vacío para convertirse en la principal prioridad.
- El principio que más valoramos suele ser aquel que no vimos manifiesto en una fase temprana de la vida.

El viejo adagio de que la hierba siempre es más verde al otro lado de la verja sólo es otra variación del principio de que buscamos lo que creemos que nos falta. Por ejemplo, tal vez valoramos muchísimo a las personas divertidas porque nos encanta reír, pero si somos capaces de apreciar el humor fuera de nosotros es porque dentro tenemos también un sentido del humor no reconocido.

Los vacíos pueden ser uno de los mejores impulsores en la vida. Nos sentimos impulsados a llenar nuestro vacío con una prioridad principal sin saber que va a aparecer otra para ocupar su lugar. Con frecuencia los principios que más valoramos tienen tanta importancia porque pensamos que faltan o que han faltado en nuestra vida.

Hace un tiempo, en un vuelo de Manhattan a Carolina del Norte me senté junto a Mary, una mujer que era oficial de policía. Le pregunté qué la había motivado a escoger esa profesión.

—Bueno —respondió alegremente—, alguien tiene que encargarse de defender la ley.

Yo sabía que ése no era el único motivo.

—¿Quién «transgredió la ley» en su vida?

Me dijo que en su vida no había ningún transgresor de la ley, aparte de los que esposaba y llevaba a la cárcel.

—¿Ni siquiera cuando era más joven? ¿Antes de que decidiera ser policía?

Se encogió de hombros y me aseguró que no se le ocurría ninguno. Continuamos conversando y ella me contó que la mayoría de los casos que llevaba tenían que ver con actos de violencia en el hogar.

—No se imagina la cantidad de personas que llegan a la sala de urgencias cada día por este motivo.

Me contó uno reciente y noté que elevaba la voz, embargada por la emoción.

—No se creería algunas de las lesiones que he visto —añadió con fuego en los ojos.

Entonces supe que Mary había experimentado o sido testigo de violencia en el hogar en algún momento de su vida.

—Mary, ¿qué edad tenía la primera vez que se produjo un episodio de violencia en su casa? —le pregunté.

Su primera reacción fue de sorpresa y después se le llenaron los ojos de lágrimas.

—Mi padre pegaba con tanta fuerza a mi madre que yo estaba segura de que la mataría —dijo—. En aquella época la policía no servía de mucho. No querían meterse en lo que ellos llamaban «asuntos familiares». —Se quedó callada un momento; luego me miró y sonrió—: Oiga, parece que sí hubo un «transgresor de la ley» en mi vida.

Su impresión, cuando era pequeña, de que a su madre le faltaba protección por parte del sistema jurídico la impulsó a llenar ese vacío haciéndose policía y trabajando con personas involucradas en casos similares de violencia en el hogar.

Lo que falta puede ser motivador

Todo hombre cree que tiene mayores posibilidades.

Ralph Waldo Emerson

- La percepción ilusoria de que falta algo puede ser uno de los mayores motivadores.
- Lo que creemos que nos falta suele ser lo que más valoramos.
- Un vacío percibido es un regalo que nos sirve para aprender otra lección de amor incondicional.
- En realidad no nos falta nada.

Podemos autocompadecernos por lo que creemos que nos falta en la vida, o aprovecharlo para impulsarnos hacia nuevas consecuciones. En cualquiera de los dos casos, la realidad es que no nos falta nada; es sólo una forma no reconocida. Lo que sea que pensemos que nos falta nos ofrece la oportunidad de aprender otra lección en el equilibrio del amor incondicional.

Un día vino a verme una mujer llamada Theresa y me dijo:

—Cuando estaba sola creía que necesitaba sentirme enamorada para ser feliz. Ahora estoy enamorada y sigo sin ser feliz.

Me explicó que hacía unos años su principal prioridad había sido encontrar al compañero del alma. Estaba segura de que si hallaba al hombre adecuado llenaría el vacío de su vida. Se apuntó en varias agencias matrimoniales y conoció un hombre tras otro. Después de varios meses de seguir esa rutina le presentaron a Matt, con el que llevaba saliendo seis meses. Pero estaba experimentando un nuevo vacío en su vida.

—Estoy aburrida de mi trabajo, no me llena. Creo que si lograra encontrar uno que me llenara sería mucho más feliz. O tal vez debería tener un hijo. Sí, quizás eso me haría feliz.

Le expliqué que me parecía inútil esa persecución de la felicidad a la que se había lanzado. La animé a buscar en su corazón la misión o finalidad que le gustaría realizar y que ese fuera su faro y su guía en la vida.

—Siempre experimentará felicidad y tristeza, Theresa, pero si trabaja por su misión o finalidad inspirada, tendrá un enfoque más estable y podrá abrazar ambos lados de la vida con más energía.

Más adelante Theresa se dio cuenta de que su finalidad inspirada era contribuir a hacer más felices a los niños.

La verdad es...

Ya tienes todo lo que desea tu corazón.

Proverbio tradicional

- Los vacíos más grandes impulsan los mayores valores.
- Buscamos lo que creemos que no tenemos.
- No nos falta nada.
- La jerarquía de valores dicta nuestro destino.

Reflexiones

*Muchos pasamos la mitad del tiempo deseando cosas que podríamos
tener si no nos pasáramos la mitad del tiempo deseándolas.*

Alexander Woollcott

1. Recuerdas lo último que compraste o hiciste porque creías que te haría sentirte realizado/a.
2. Pregúntate en qué ha cambiado tu vida desde que compraste o hiciste eso que acabas de recordar.
3. Recuerda un deseo de tu infancia que pienses que quedó por satisfacer.
4. ¿De qué forma has satisfecho o estás tratando de satisfacer ese deseo?

Realizaciones

*Si no tienes lo que deseas es señal de que o bien no lo deseabas en
serio o de que has tratado de regatear el precio.*

Rudyard Kipling

1. Observa atentamente los siete aspectos de tu vida (social, familiar, vocacional, económico, físico, mental y espiritual) y descubre qué crees tú que falta en mayor medida en ti o en tu vida. Escribe ese vacío.
2. Anota diez modos de cómo ese vacío te beneficia o enseña.
3. Piensa en cómo aquello que crees que te falta en realidad está presente de alguna forma y en algún aspecto de tu vida. Piensa dónde y cuándo tienes realmente lo que

consideras que te falta o es un vacío. No pares hasta que lo descubras.

4. Escríbete una carta de agradecimiento por las lecciones aprendidas y los beneficios recibidos de ese vacío.

Afirmaciones

- Agradezco mi percepción de vacíos porque estos vacíos me sirven para identificar mis valores.
- Equilibro mis percepciones para ver que no me falta nada.
- Soy uno con todo lo que existe.
- Cualquier cosa que puedo percibir fuera de mí existe dentro de mí.
- Lleno mi cuerpo de energía sanadora.
- Lleno mi vida de amor sanador.

20

Cualquier cosa de la que huimos nos encuentra; cualquier cosa que nos induce a mentir nos gobierna la vida

No seas esclavo de tu pasado, zambúllete en el océano sublime, sumérgete y nada mar adentro, para volver con respeto por ti, con un nuevo poder, con una experiencia avanzada que explicará y olvidará lo viejo.

Ralph Waldo Emerson

¿Huimos de nosotros mismos?

Por muy lejos que huyamos, o por muy bien que mintamos, no podemos escapar de nuestros miedos porque éstos proceden de nuestro interior. Cuando huimos de nuestros temores solemos chocar con ellos. Por eso nos encontramos una y otra vez con los mismos tipos de personas, situaciones y enfermedades. Continuamos atrayéndonos las lecciones hasta que aprendemos sus mensajes, agradecemos sus beneficios y equilibramos el dualismo de nuestras percepciones sesgadas. Una vez que experimentamos la verdad que oculta una lección y abrazamos la realidad con amor incondicional, aprendemos la lección y dejamos de atraerla.

Una manera de huir de los miedos es mentir sobre ellos, pero esa mentira está motivada por el mismo miedo. Son muchos los miedos diferentes que nos inducen a mentir, pero sea cual sea el motivo, tan pronto lo hacemos comenzamos a albergar un sentimiento de culpa, en la conciencia o en el inconsciente. Con el tiempo los miedos y el sentimiento de culpa van aumentando en la mente y adquieren energía propia. Desde el momento en que mentimos, la mentira comienza a gobernar nuestra vida y continuamente nos atraemos y chocamos con lo que sea que tememos o tratamos de evitar.

Un día, mientras esperaba a un amigo mío en una cafetería de Nueva York conocí a Jim, un hombre que trabajaba como orientador de jóvenes. Los animaba a desarrollar la autoestima y a valorar sus creencias y decisiones. Me pareció interesante y le pregunté qué lo había llevado a dedicarse a ese trabajo, y he aquí lo que me contó:

La historia arranca de cuando tenía dieciséis años. Una fresca noche de octubre, después de que mis padres se marcharan; cogí el coche sin permiso, pasé a recoger a mi novia y nos fuimos a un restaurante donde se servía comida en el coche, que era el lugar más frecuentado de la ciudad. Acabábamos de instalarnos cuando llegaron zumbando tres bólidos, aparcaron y de ellos se bajaron un grupo de chicos. Yo reconocí a dos, a los que había visto en una pelea que se armó después de un partido de fútbol unas semanas antes. Eran de una ciudad vecina; el tipo de chicos que yo solía tratar de evitar.

Pues bien, no había pasado ni un minuto desde que yo hiciera mis ruegos y deseos de que no se nos acercaran, cuando tres de los tíos se apoyaron en mi ventanilla. Una cosa llevó a la otra y casi sin darme cuenta, a los pocos minutos había accedido a reunirme con ellos más tarde para hacer una carrera de coches. Jamás había participado en una carrera y era lo último que deseaba hacer, pero temía parecer un cobarde. Beth trató de disuadirme, pero yo me sentía obligado a hacerlo, de modo que poco antes de la hora acordada, después a dejar a Beth en su casa, conduje hasta la carretera rural donde habíamos quedado. Quería llegar pronto para practicar un poco dando unas vueltas por esa zona antes de que llegaran los demás.

De repente, cuando iba por la segunda, apareció un ciervo en medio de la carretera; apreté a fondo los frenos y logré evitar el choque, pero le golpeé un cuerno. En ese momento me di cuenta de que negarme a participar en la carrera no era ni mucho menos un acto de cobardía; sino en realidad algo valiente y responsable. Así pues, me armé de valor y esperé a los chicos para poder decirles que había decidido no participar.

Me sentía nervioso y tranquilo al mismo tiempo, y cuanto más tiempo esperaba mejor me parecía mi decisión, fuera cual fuera el resultado.

Lo divertido es que esperé en vano porque no llegó nadie. Al día siguiente me enteré de que una hora antes de que tuviera que empezar la carrera se había producido una pelea en la ciudad, en la cual fueron arrestados cuatro de los chicos de los bólidos; los demás huyeron en distintas direcciones. Supongo que la lección de esta historia es que no tenemos por qué hacer algo para demostrar que somos valientes. Simplemente debemos tener la valentía de hacer o de no hacer, lo que sabemos que es sensato. Y eso es lo que les digo a los adolescentes con los que trabajo.

Lo que tememos se nos acerca; lo que rehuimos nos sigue

Defenderse del miedo sencillamente es asegurarme que algún día nos va a derrotar; los miedos pueden enfrentarse.

James Baldwin

- Cuando prestamos atención y damos energía a los miedos, nos convertimos en una especie de imanes que los atraen.
- Los miedos son fabulosos maestros cuando estamos dispuestos a aprender sus lecciones de amor.
- Cuando huimos de una persona o situación, nos encontramos con una persona o situación similar en alguna parte del camino.
- No podemos correr más que nosotros mismos.

La escuela de la vida es amorosamente perseverante y está llena de oportunidades para que aprendamos y nos desarrollemos. Nos atraemos las lecciones en las que más pensamos, y avanzamos en la dirección de nuestros pensamientos dominantes. Cuando nos concentramos en el amor y la gratitud, generamos un campo energético que nos atrae más amor y gratitud. Pero si lo hacemos en los miedos generamos un campo energético que nos atrae más miedos. Pero eso, lo creamos o no, eso también es un beneficio, una salvaguardia que se encarga de que recibamos un número ilimitado de oportunidades para aprender a amar.

Cada vez que encaramos la lección o causa subyacente que genera un miedo, nos damos la oportunidad de crecer hasta un nuevo grado de entendimiento. Cuando equilibramos nuestras percepciones de lo bueno y lo malo que rodea al miedo logramos una comprensión más profunda que nos saca del miedo y nos hace entrar en un estado de amor incondicional más esclarecido.

Hace unos años participó en la Experiencia Descubrimiento una mujer llamada Connie. Nos explicó que estaba comenzando a resolver su situación económica. Se había declarado en quiebra hacía dos años y todavía se sentía dolida por ello.

—Siempre había temido que mi negocio se fuera a la bancarrota y cuando esto comenzó a suceder sencillamente no supe cómo manejarlo.

Nos explicó que en lugar de hacer frente a la realidad de su situación se empeñó en negarla hasta que no tuvo otra opción que declararse en quiebra. Mientras hablábamos de su situación comenzó a comprender que durante años había tomado sus decisiones financieras motivada por el miedo y la desesperación y no por amor e inspiración. Antes de que terminara el seminario estaba agradecida de las cosas buenas que había sacado de su quiebra.

El miedo precede a toda mentira y tras ella viene la culpabilidad

*Es lo más fácil del mundo que un hombre se engañe
a sí mismo.*

Benjamin Franklin

- La causa de la mentira es el miedo, no la falta de sinceridad.
- El miedo bloquea la imaginación.
- Cada mentira siembra una semilla de culpabilidad.
- El sentimiento de culpabilidad bloquea la memoria.

No se miente por falta de sinceridad; se miente por temor a la verdad. Por eso el miedo precede a toda mentira. Decidimos mentir porque creemos que la verdad podría provocar una reacción que tememos y deseamos evitar. Detrás de la mentira viene el sentimiento de culpabilidad porque nuestra sabiduría interior comprende de inmediato que con ella evitamos de hecho la posibilidad de aprender a amar y nos creamos otro obstáculo en nuestro interior.

Todos decimos mentiras que terminan por gobernar nuestra vida de uno u otro modo y al final descubrimos que habría sido más sensato elegir el camino de decir la verdad. Eso es lo que le sucedió a Larry, que por desesperación, le dijo a un empleador que tenía un doctorado en administración de empresas. Consiguió el empleo, pero desde ese día vivió preocupado porque se descubriera la mentira, y no dejaba de reprocharse que ésta continuara acosándolo. Sin embargo, a medida que pasaba el tiempo la mentira se fue adornando y muy pronto ya no sólo tenía el título sino que decía además cuándo lo había recibido, el instituto donde había hecho el doctorado y los nombres de algunos de sus profesores; tenía que tener mucho cuidado de que todas sus mentiras casaran unas con otras. Después de unos años de ansiedad dejó esa empresa por otra.

La verdad es...

A lo único que tenemos que tenerle miedo es al propio miedo.

Franklin D. Roosevelt

- Nadie puede escapar de sí mismo.
- Nuestros miedos están entre nuestros mejores maestros.
- Cuando mentimos hablamos movidos por el miedo.
- Nuestras mentiras nos gobiernan la vida.

Reflexiones

Cuando era joven lo recordaba todo, hubiera ocurrido o no.

Mark Twain

1. Recuerda una ocasión en la que trataras de huir de un miedo y en lugar de escapar chocaras con él.
2. Recuerda una mentira que hayas dicho recientemente y pregúntate qué miedo te motivó a evitar la verdad.
3. Piensa en alguna mentira que te haya gobernado la vida de alguna manera durante un tiempo.
4. Recuerda una mentira de la que te sientas culpable. Piensa en al menos una cosa que hayas aprendido a consecuencia de esa experiencia.

Realizaciones

Estamos tan acostumbrados a usar disfraz delante de los demás que finalmente no logramos reconocernos.

François de la Rochefoucauld

1. Escribe tres situaciones, acontecimientos o verdades de las que tratas de huir.
2. Rodea con un círculo la que según tú gobierna más tu vida.
3. Escribe diez cosas beneficiosas y diez cosas perjudiciales relacionadas con este miedo.
4. Abre el corazón a las lecciones que te presenta ese miedo y escríbete una nota de agradecimiento por ver en equilibrio los beneficios y perjuicios de tu miedo. Incluso el miedo y las mentiras nos llevan finalmente a la verdad.

Afirmaciones

- Agradezco las oportunidades que me atraen mis miedos porque me sirven para aprender el amor incondicional.
- Agradezco en la misma medida mi valentía y mis miedos.
- Enfrento mis miedos y amo las lecciones de mis limitaciones.
- Presto atención a los miedos de mi cuerpo y aprendo a amar la sabiduría oculta en sus mensajes.
- Abro mi corazón al amor en este momento.

21

La calidad de la vida depende de las preguntas que hacemos

Para encontrarte piensa por ti mismo.

Sócrates

¿Quiénes somos y para qué estamos aquí?

Si bien muchas personas han descubierto quiénes son y para qué están aquí, muchas otras todavía buscan esas respuestas. Descubrir esas respuestas puede servir para sanar la mente y el cuerpo. Desde los albores de la historia, la gente se ha planteado cuatro preguntas fundamentales:

¿Quién soy?

¿Para qué estoy aquí?
¿De dónde vengo?
¿Adónde voy?

Nuestras creencias particulares, o nuestras respuestas a estas preguntas, ponen los cimientos para las demás preguntas que hacemos. Al parecer, la calidad de nuestras preguntas determina la de nuestra vida.

Si una persona cree que es un simple mortal, sus preguntas y su visión de la vida estará limitada por la mortalidad. Si cree que su verdadera esencia es un alma inmortal, sus preguntas y su visión de la vida serán expansivas e inmortales. Las personas que tienen una visión inmortal ven más allá de los límites que se construyen otros seres humanos. Suelen ser las responsables de grandes descubrimientos e innovaciones y de las cosas importantes y duraderas que se realizan en el mundo. Se hacen preguntas sabias y estimulantes, y creen que son capaces de hallar las respuestas.

Cuando Albert Einstein tenía 16 años se hizo la siguiente pregunta: «¿Cómo se vería el Universo montado en un rayo de luz?». Esa pregunta le llevó finalmente a la teoría de la relatividad, que cambió la forma de pensar respecto a la energía, el tiempo y el espacio. Por su parte, Elizabeth Blackwell también se preguntó por qué todos los médicos eran hombres y decidió que no había ningún motivo lógico, de modo que se matriculó en una facultad de medicina y en 1849 se convirtió en la primera estadounidense titulada en esa especialidad. Y por último, Orville y Wilbur Wright concibieron la idea de fabricar una máquina capaz de transportar a la gente por el aire y la desarrollaron hasta inventar el primer aeroplano. Son sólo tres ejemplos entre las miríadas de personas que se hicieron preguntas más profundas y avanzadas que las que se habían hecho otros antes.

Muchas de las mentes más privilegiadas de la actualidad se han planteado preguntas curiosas y encontrado respuestas que han influido en el mundo y en la forma en que nos vemos a nosotros mismos. Preguntas profundas han llevado a la teoría de que la conciencia es una nube de partículas cargadas de luz. Un buen número de físicos piensan que sus estudios están de alguna forma relacionados con ciertos aspectos de la teología, y que la inmortalidad se puede demostrar científicamente; hace unos años muchas personas se habrían burlado de estas conclusiones, y los hay que incluso se ríen hoy. Pero las personas que escuchan su voz interior y prosiguen la búsqueda iniciada por sus preguntas y curiosidad encuentran respuestas inspiradoras que conducen a preguntas aún más inspiradoras y estimulantes.

Las preguntas dirigen el aprendizaje

Es importante que los estudiantes introduzcan en sus estudios cierta irreverencia granuja y descarada; no están aquí para adorar lo que se sabe sino para ponerlo en duda.

Jacob Bronowski

- Aprendemos haciéndonos preguntas acerca de las personas, lugares, cosas, acontecimientos, creencias e ideas.
- Las preguntas son provocadas por la finalidad.
- El alma nos anima a saber acerca de lo que encontramos más inspirador.
- Para ensanchar la mente, pregúntate lo que aparentemente no hay motivos para preguntar.

Las preguntas que hacemos indican lo que deseamos saber, y las preguntas que nos inspiran nacen del alma y del corazón. Por eso, descubrir lo que nos encanta aprender puede servirnos para desvelar la finalidad de nuestra vida, y descubrir esa finalidad nos servirá para comprender quiénes somos, hacia dónde vamos y para qué estamos aquí.

Cuanto más ensanchamos la mente más capacidad de imaginar desarrollamos y más podemos descubrir. La mente se ensancha yendo más allá de lo que parece ser para examinar y valorar lo que es. De hecho, este fue el tipo de curiosidad y búsqueda que finalmente me llevó a idear el *Collapse Process*. Estaba decidido a sobrepasar las fronteras de las teorías existentes e idear un método o ciencia reproducible de abrir el corazón a la verdadera sabiduría del alma. Imaginé un proceso que nos capacitara para dar saltos cuánticos en el crecimiento y transformación personal. Mis preguntas me indujeron a ahondar con entusiasmo en mi exploración y lectura de diversas disciplinas, entre ellas biología, biofísica, matemáticas y química. También me fascinaron la genética, la psicología, la teología y la astronomía, mientras mi voz interior insistía en que todas las ciencias y religiones verdaderas están unidas por un hilo común. Día y noche estudié y relacioné informaciones de las diversas ciencias, leyendo todo lo que caía en mis manos.

Durante esas intensas horas de investigación leí cantidades de maravillosos estudios sobre la gravedad, electromagnetismo y energías nucleares, todo dentro del gran tema de la física cuántica. Gran parte de lo que leía hablaba del «colapso» de las funciones de las ondas o partículas. No sé por qué motivo la palabra «colapso» adquirió un sentido especial para mí. Analizándolo más detenidamente, llegué a comprender y a valorar realmente la avanzada sabiduría de los antiguos herméticos, que comprendían las leyes universales del orden y la armonía complementarios. Estas leyes constituyeron la base del *Collapse Process*.

Cuando descubrí que este proceso podía poner armonía y orden perfectos en lo que parecía ser caos y falta de armonía y hacer nacer la claridad y la alegría del amor incondicional, literalmente lloré de gratitud. Ahora agradezco la posibilidad que se me ofrece de enseñar el *Collapse Process* a otras personas. Me siento agradecido cada vez que una persona abre el corazón a la sabiduría y claridad de su alma y experimenta la armonía del amor incondicional.

Analizar las creencias

Si quieres ser un verdadero buscador de la verdad, es necesario que, al menos una vez en tu vida, dudes cuanto te sea posible de todas las cosas.

René Descartes

- Muchas de nuestras creencias se formaron antes de que tuviéramos edad suficiente para saber que lo que aprendíamos era una mezcla de teoría y verdad.
- Cuando exploramos nuestras creencias hasta sus raíces adquirimos una perspectiva más clara de nuestros cimientos.
- Pon en tela de juicio las afirmaciones que automáticamente aceptas como verdaderas.
- Explora las preguntas inspiradas de tu corazón y alma.

Muchas de las creencias que más influyen en nuestra vida se han transmitido de generación en generación. De hecho, si analizamos nuestras creencias, es probable que nos demos cuenta de que no sabemos por qué tenemos algunas de ellas y que no recordemos cómo ni cuándo comenzamos a tener otras. Cuando ponemos en tela de juicio nuestras creencias nos educamos y adquirimos claridad y certeza. También nos damos la oportunidad de ver y de dejar pasar las creencias, situaciones y relaciones que no están basadas en la verdad.

Hace muchos años, a la entrada de la biblioteca de Warthon había un joven repartiendo panfletos religiosos para atraer a la gente a sus creencias. Yo estaba a punto de entrar en la biblioteca para leer los escritos originales de Gandhi cuando el hombre se me acercó y me pidió que no entrara.

—Y ¿por qué no? —le pregunté.

—Una biblioteca es un lugar malo —me dijo—. Entrar en este edificio es como entrar en el infierno. El único libro que se necesita leer es la Biblia. Yo he leído todos los volúmenes de ahí dentro y no me han servido de nada.

El joven no podía tener más de veinte años, así que le pregunté cómo había podido leer todos los libros de la biblioteca tan rápido y llegado a esa conclusión.

—Eso no importa —contestó.

Algo en la forma en como me contestó me hizo dudar de que siquiera hubiera leído la Biblia entera, duda importante, ya que me reveló el valor de no ponerme límites en mis investigaciones y preguntas. También me estimuló a hacerme más preguntas y a explorar a fondo muchas ciencias, ideologías y teologías, y me incentivó el interés de volver a leer la Biblia. Comprendí, con certeza, que una pregunta inspirada conduce a otra y estas preguntas continúan dirigiendo mi aprendizaje más profundo.

La verdad es...

Un hombre debe buscar lo que es y no lo que cree que debería ser.

Albert Einstein

- Las preguntas forjan la dirección de nuestra búsqueda.
- Cuando analizamos nuestras creencias adquirimos claridad y certeza.
- Una pregunta inspirada conduce a otra.
- Las grandes verdades son ridiculizadas y combatidas antes de llegar finalmente a ser aceptadas como evidentes.

Reflexiones

Nuestras preguntas indican la profundidad de nuestra fe. Observa la profundidad de tus preguntas.

John y Lyn St. Clair Thomas

1. Recuerda una creencia que tuvieras en otro tiempo y que ya no consideres cierta.
2. Piensa en una afirmación que crees «evidente» y pregúntate por qué la crees.
3. Piensa en algo que consideraras cierto y transmitieras a otras personas y que después descubrieras que era falso.
4. Recuerda una pregunta que te hayas hecho con frecuencia y dedícate al menos una hora a leer o a investigar en busca de la respuesta.

Realizaciones

Siempre busca la respuesta en tu interior. No te dejes influir por
quienes te rodean, ni por sus pensamientos ni sus palabras.

Eileen Caddy

Anota tus tres creencias más firmes. Debajo de cada una escribe por qué la crees y cuándo comenzaste a creerla.

Afirmaciones

- Aprendo acerca de mis preguntas inspiradas.
- Para ensanchar mi mente me pregunto lo que parece inútil preguntarse.
- Analizo mis creencias y abro mi corazón a la sabiduría de mi alma.
- Agradezco las preguntas que nacen de la enfermedad física y del estrés mental porque sé que son mensajes de mi corazón y alma.
- Sé que la respuesta a todas las grandes preguntas es el amor incondicional.

22

Nada en la vida tiene sentido alguno aparte del que nosotros le damos

La vida no tiene ningún significado aparte del sentido que el propio hombre le da al desarrollar sus capacidades viviendo productivamente.

Erich Fromm

¿Qué significa esto?

Desde el momento de nacer observamos y analizamos nuestro entorno y comenzamos a tomar decisiones basándonos en esos datos y en cualquier otra cosa que percibamos con los sentidos. A eso se debe que sean tan diferentes las perspectivas de las personas, y que aun en el caso de que varias personas experimenten el mismo acontecimiento, cada una lo perciba, interprete y explique de modo diferente. Así pues, una misma situación o acontecimiento puede producir curación en una persona y enfermedad en otra. ¿De qué otra forma podría ser?

La evaluación personal de cualquier acontecimiento en la vida de cada cual se basará pues en las experiencias y aprendizaje anteriores. A partir de esa información decidimos qué significa el acontecimiento y lo consideramos bueno o malo. Pero si ese mismo acontecimiento ocurre en la vida de otra persona que tiene una historia y perspectiva diferentes, ésta le dará un significado totalmente distinto y lo juzgará de modo totalmente diferente. Por ejemplo, si una persona se crió en una familia o cultura que celebraba y recompensaba las habilidades para la caza, probablemente relacione esta actividad con los buenos sentimientos. Por lo tanto, si mata a un ciervo lo más seguro es que lo considere algo bueno, algo digno de celebrar y de lo que sentirse orgulloso. Pero si su familia o cultura condenaba la caza, la idea de matar a un ciervo podría producirle un terrible malestar e incluso hacerla enfermar.

Siempre me ha encantado una historia que escuché cuando era niño sobre un sabio hechichero norteamericano que tenía la capacidad de equilibrar una situación viendo rápidamente los dos lados. Un día, otra tribu atacó su aldea y en la refriega su hijo se fracturó la pierna. La gente comentó que eso era malo, pero el hechicero dijo: «Ya veremos». Pasados unos meses, algunos amigos de su hijo organizaron una excursión de caza y le dijeron al chico: «Es una lástima que no puedas venir con nosotros por no tener todavía la pierna curada del todo». El hijo también lo pensó, pero el sabio hechicero dijo: «Ya veremos». Transcurrieron los meses y los tres valientes jóvenes nunca volvieron. La gente de la aldea le comentó al hechicero: «Qué suerte que tu hijo no fuera a esa cacería». Pero el hechicero dijo: «Ya veremos».

La historia continúa, pero el mensaje sigue siendo el mismo. Reservarse el juicio y ver los dos lados de una situación en equilibrio es señal de sabiduría. Puesto que un acontecimiento visto o experimentado por muchas personas no siempre significa lo mismo para todas ellas, ya que de hecho puede interpretarse de maneras muy distintas, al final comprendemos que los acontecimientos son de suyo neutros. Nosotros les damos un significado o «color» según lo que creamos o sepamos. Cuanto más comprendemos, más podemos amar.

Nuestras percepciones colorean la verdad

Si se limpiaran las puertas de la percepción todo parecería tal y como es: infinito.

William Blake

- Generalmente las percepciones se basan en una cantidad muy limitada de información, sobre todo si las comparamos con la inmensidad del Universo.
- Nuestras percepciones suelen exagerar o minimizar la verdad.
- A veces una amplia variedad de percepciones hace que la verdad parezca relativa.
- Nuestra realidad se basa en nuestra percepción de la verdad.

La verdad no siempre es evidente, sobre todo si tenemos en cuenta que por lo general la vemos a través de los filtros de nuestras percepciones. Pero cuanto más aprendemos acerca de las diferentes creencias que existen en nuestra cultura, y en otras épocas y culturas, más comprendemos y más humildes nos hace el conocimiento de que nuestras percepciones se basan en visiones muy estrechas y limitadas del Universo. Cuanto más vemos y experimentamos, más comprendemos que nuestra realidad y el significado que damos a los acontecimientos se individualizan según la época y el espacio en que vivimos.

Si eres agricultor y hay sequía, te alegrarás de que llueva y considerarás este fenómeno atmosférico un acontecimiento bueno; pero si estás en el techo de una casa baja rodeado de agua por todas partes después de unas inundaciones, probablemente la lluvia te dará miedo y la considerarás mala. La verdad es que la lluvia es lluvia, ni buena ni mala. Simplemente es.

Todavía recuerdo una conversación que tuve con tres compañeros en el transcurso de una clase de literatura en el instituto de enseñanza secundaria. Estábamos hablando de la leyenda de Robin Hood, y cada uno tenía una opinión diferente de sus acciones. Lo que a uno le parecía bien al otro le parecía mal y viceversa. Ciertamente todos teníamos nuestra propia percepción de la leyenda y de su significado. El profesor nos oyó discutir y decidió hacer intervenir a toda la clase. Nos pidió a todos que escribiéramos lo que considerábamos las mejores y las peores cualidades de Robin Hood. Entre veinte alumnos surgieron trece cualidades que quedaron anotadas en la lista de las mejores y quince en la lista de las peores. Fue una lección única sobre las diferentes visiones, lección que me ha quedado en la memoria a lo largo de los años.

Las emociones nacen de las percepciones

No son las cosas las que perturban a los hombres sino las opiniones
que se hacen de ellas.

Epicteto

- Lo que sentimos respecto a alguien o algo se basa en nuestras percepciones.
- Solemos temer y condenar lo que no entendemos.
- Cuando nos sentimos eufóricos o deprimidos, analizamos la situación con una percepción sesgada.
- La percepción que tenemos de las personas y acontecimientos que nos rodean determina nuestras reacciones.

Nuestras emociones nos importan; las sentimos muy reales y muchas veces intentamos encontrarles validez. Pero las emociones se fundamentan en las percepciones, y estas suelen ser sesgadas. Así pues, un acontecimiento o una persona puede inspirarnos o provocarnos ciertos sentimientos pero eso no significa que lo que éstos nos dicen sea cierto. Por ejemplo, cuando nos sentimos felices o deprimidos a causa de algo o de alguien, creemos que ese algo o alguien es más bueno que malo, o a la inversa, que es más malo que bueno; pero eso no significa que sea cierto.

Hace poco conocí a George, un hombre maduro que representa más edad de la que tiene y que por entonces parecía estar muy cansado; se sentía bastante deprimido, me dijo, porque su hija de 24 años, Kate, «lo estaba matando». Le pedí que me hablara de ello.

—Se fugó con un pelmazo y se casó con él, y eso que yo le había dicho que la repudiaría si seguía saliendo con él. Me parece increíble que me haya hecho esto. Es mi única hija y ahora la he perdido por ese sinvergüenza.

George no le veía ninguna alternativa a su forma de sentir y reaccionar; estaba atrapado en la ilusión de que lo que le decían sus emociones era lo cierto. Le expliqué que las emociones nacen de nuestras percepciones y que si estaba dispuesto a ampliar su perspectiva probablemente cambiarían sus sentimientos.

Durante varias horas le ayudé a equilibrar sus percepciones acerca de su hija y de Don, su yerno. A medida que explorábamos más a fondo sus percepciones comenzó a darse cuenta de que el motivo de que Don le cayera tan mal era que le recordaba a Frankie, el chico con quien salía su esposa, la madre de Kate, antes de que se casara con él.

—Yo sé lo que busca un chico como ese —dijo—. Alguien que se desviva por él, una chica que parezca siempre un trofeo para poder jactarse ante sus amigos. Me pone enfermo pensar que es eso lo que saca de mi hija.

Tardamos un poco, pero finalmente logró entender que sus opiniones y percepciones sobre Frankie, y sobre las similitudes que parecía tener con Don, le coloreaban su percepción. En lugar de abrir la mente y el corazón a la verdad, creía en sus emociones. Cuando comenzó a comprender realmente que se dejaba dominar por ellas y que por lo tanto era él mismo el que se creaba el sufrimiento, se echó a llorar y se sometió a la verdad. Finalmente abrió su corazón y su rostro empezó a brillar con la claridad del amor incondicional. Se quedó en silencio varios minutos y después susurró:

—Gracias.

La verdad es...

La tragedia y la comedia sólo son dos aspectos de la realidad, y que
veamos lo trágico o lo humorístico es cuestión de perspectiva.

Arnold Beisser

- Los acontecimientos son neutros.
- La perspectiva determina la percepción de la realidad.
- A las personas y acontecimientos les asignamos significados basados en las experiencias y conocimientos anteriores.
- Las emociones pueden parecernos reales, pero con frecuencia distan mucho de la verdad.

Reflexiones

Las cosas no cambian. Lo que cambia es nuestra forma de verlas;
eso es todo.

Carlos Castaneda

1. Recuerda a una persona que nada más conocerla te inspirara un sentimiento de rechazo y a la que después encontraste agradable.
2. Recuerda una situación que te pareciera mala o que para ti tuviera un significado negativo, y que después resultara bueno o positiva.
3. Piensa en algún principio o práctica que condenaste cuando oíste hablar por primera vez de él/ella y que después aceptaste cuando viste el cuadro más grande.
4. Piensa en una interpretación errónea que te haya ocurri-

do alguna vez porque creíste que cierta palabra o acto significaba una cosa y la otra persona una cosa diferente.

Realizaciones

Examina todas las frases que parecen ciertas y ponlas en tela de juicio.

David Riesman

1. Imagínate que estás a punto de aterrizar en el planeta Tierra y que vas a asumir el mando absoluto. Tu responsabilidad es decirle a todo el mundo que serán recompensados por los actos buenos y castigados por los malos. No habrá ninguna excepción. Anota un acontecimiento o comportamiento que será considerado bueno en todas las circunstancias y un acontecimiento o comportamiento que será considerado malo en todas las circunstancias.

2. Anota tres cosas perjudiciales de lo que hayas considerado absolutamente bueno en el ejercicio 1.

3. Anota tres cosas beneficiosas de lo que hayas considerado absolutamente malo en el ejercicio 1.

4. Explica una ocasión en la que hicieras o fueras lo que sea que hayas considerado bueno, y otra en la que hicieras o fueras lo que sea que hayas considerado malo en el ejercicio 1. Centra la atención en uno de los siete aspectos de tu vida: mental, físico, espiritual, familiar, social, vocacional o económico.

En cada uno de nosotros hay equilibrio, pero es necesario un examen sincero y humilde para descubrirlo.

Afirmaciones

- Tengo el corazón abierto a la verdad para equilibrar mis percepciones.
- Yo elijo mis puntos de vista, mis emociones y mis reacciones.
- Soy yo quien creo mi realidad.
- Reconozco el equilibrio en todas las personas, cosas y acontecimientos, y sé que el verdadero significado de todo lo que existe es el amor.
- Mi perspectiva equilibrada y mi nuevo significado de la vida sanan mi mente y cuerpo.

23

No hay nada que perdonar

La totalidad de lo que sabemos es un sistema de compensaciones. Cada sufrimiento es recompensado, cada sacrificio, compensado, toda deuda, pagada.

Ralph Waldo Emerson

¿Sabemos verdaderamente lo que es?

Para perdonar a alguien primero hemos de juzgar malo o equivocado algo que ha hecho. Pero emitir el juicio es comportarnos como si supiéramos todo lo que hay que saber de una persona o situación. La verdad es que generalmente sabemos muy poco sobre el cuadro completo o el designio mayor. Puesto que todo lo que existe forma parte de este plan maestro, todo y todos los seres que existimos formamos parte de la perfección, incluyendo nuestras enfermedades y malestares. En última instancia no existen verdaderos errores.

La visión limitada y las perspectivas egoístas podrían llevarnos a creer que lo que vemos y experimentamos es malo o equivocado, pero el Universo mantiene un equilibrio perfecto. Todas las personas y todos los acontecimientos son parte integrante del plan maestro para aprender las lecciones del amor incondicional y realizar nuestras verdaderas capacidades.

Si lo pensamos, ¿quiénes somos nosotros para juzgar el funcionamiento del Universo? Cuando obramos con humildad comprendemos claramente que todas nuestras percepciones, creencias, conocimientos y sabiduría sólo son un grano de arena en el vasto océano de las posibilidades conscientes. Por eso es mucho más sabio reservarse el juicio y buscar el equilibrio de los beneficios en todas las personas y acontecimientos supuestamente negativos con que nos encontramos.

Incluso los acontecimientos que nos parecen más terribles, violentos e insensatos nos ofrecen oportunidades para encontrar los beneficios y experimentar la serenidad del amor incondicional. El Universo está gobernado por las leyes de causa y efecto. Pero la vida no nos castiga ni nos recompensa, no nos condena ni nos perdona. Nos atraemos las lecciones que necesitamos aprender y sembramos lo que cosechamos. Todos estamos en un viaje sanador de amor y cuanto más agradecemos el equilibrio del Universo más amor incondicional tenemos y más pronto logramos experimentar la plenitud del amor.

Hace poco tuve la ocasión de hablar con Hank. Su hijo Tommy fue secuestrado y asesinado hace quince años, cuando tenía tres. Todavía lleno de furia, culpaba al hombre que lo mató, se culpaba a sí mismo por no haber estado allí para protegerlo y culpaba a Dios por haber permitido que ocurriera una cosa así. Pensaba que Dios le había vuelto la espalda. Le expliqué que mientras tuviera el corazón lleno de rabia, ira y culpabilidad estaba obstaculizando el amor y la serenidad interior que le enviaban su alma y corazón. Le pregunté si le gustaría salir de su rabia para poder experimentar un estado más gratificante de amor incondicional, y me dijo que sí.

Su primer paso fue escribir todas las cosas malas que rodearon la muerte de Tommy. Durante muchos años se había concentrado en pensar en ello, así que en un momento hizo una lista con setenta puntos. Después le pedí que escribiera un número igual de beneficios resultantes de la muerte de Tommy. Al principio creyó que era una broma, después se puso a la defensiva, pero continuamos hablando y en el curso de la conversación vio el valor de lo que le pedía hacer. Al cabo de unas dos horas había escrito tantos beneficios como cosas malas.

Le pregunté si deseaba hablarme de algunos de los beneficios que había descubierto y me dijo:

Lo he pasado tan mal escribiendo siquiera un beneficio, que me he dado cuenta de que no me permitía ver nada fuera de lo que yo consideraba malo. Pero cuando me obligué a escribir un beneficio comencé a ver que en realidad ha habido muchísimos. El caso de Tommy recibió mucha atención y personas a las que nunca se les había pasado por la cabeza la idea de que podían perder a sus hijos vieron que era posible y que sucede con mucha rapidez.

Dijo que otro beneficio había sido que muchas personas a las que no conocía se preocuparan de él y su familia. Recibió cientos de tarjetas y cartas, y muchos le enviaron oraciones y mensajes de cariño y apoyo.

—He aprendido a valorar la vida y a las personas que quiero. De hecho ya nada me es indiferente. Supongo que ese es el mayor beneficio de todos.

A continuación le pedí que repasara las setenta cosas que consideraba malas y que para cada una de ellas encontrara un ejemplo en algún aspecto de su vida en el que de alguna forma hubiera hecho lo mismo a otra persona o a sí mismo. Esta parte del proceso le llevó unas cuantas horas durante las cuales repasó diligentemente su vida y recuerdos. Juró que nunca había hecho ciertas cosas, pero al examinarse más detenidamente encontró actos u omisiones en algún momento de su vida que en cierto modo casaban.

El último paso fue repasar de nuevo su lista de cosas malas y descubrir alguna manera en que cada una de ellas le hubiera servido a él o a otra persona. Cuando ya casi estaba a punto de finalizar este proceso, levantó la vista y me dijo:

—¿Sabe?, estoy comenzando a verle algún sentido a la muerte de Tommy.

En el momento en que dejó su pluma sobre la mesa no necesitó decirme que había acabado el proceso; vi la transición experimentada. Tenía los ojos más animados, la cabeza más erguida y todo su ser físico se veía relajado. Hank comprendió que la muerte de Tommy contenía tantos beneficios ocultos como perjuicios, y que la acusación y el perdón eran ilusiones; la única manera de liberarse de ambos era ser agradecido y abrir el corazón a la verdad del amor incondicional. Le pregunté si había algo que quisiera decirle a Tommy. Cerró los ojos un momento y luego, con lágrimas en las mejillas, dijo:

—Tommy, sabes que te quiero, hijo.

El perdón es una ilusión farisaica

*Formamos parte de una inmensa orquesta cósmica en la cual cada
instrumento vivo es complemento esencial para la ejecución
armoniosa del todo.*

J. Allen Boone

- El perdón exige un juicio anterior de algún acto u omisión no ética o inmoral.
- Es un acto de orgullo y fariseísmo pensar que tenemos derecho a juzgar o perdonar.
- Perdonar a una persona no la liberará; perpetuará más ciclos de juicios e ilusiones. Sólo el amor incondicional puede liberar.
- La verdad no necesita perdón.

Cuando abrimos el corazón a la sabiduría del alma entramos en el momento presente, experimentamos el amor incondicional y comprendemos que todo lo que ha ocurrido es perfección. No hay nada que perdonar. La ilusión del perdón es a veces un paso en el camino hacia el amor incondicional, pero si nos detenemos en el perdón continuamos en un estado humano de juicio. Hemos de renunciar a nuestro ego farisaico y trascender la acusación y el perdón para entrar en la claridad y alegría del amor incondicional.

Hace unos años estaba a punto de hablar sobre la ilusión del perdón en uno de mis programas de éxito personal cuando un participante, David, me dijo que él ya le había perdonado a su padre todas las cosas «que le había hecho».

—Acabé de perdonarle hace un año. —Explicó que había hecho años de terapia y asistido a varios seminarios que le sirvieron para aprender a aceptar y a soportar lo que su padre le había hecho—. Ya le he dicho que aunque hizo muy mal en maltratarme, lo he perdonado.

Le pregunté si desearía abrazar a su padre si estuviera en la sala en ese momento, y él se echó a reír.

—¡No llegaría a tanto! —exclamó—. He perdonado al tío, pero después de todo lo que he sufrido no creo que me apeteciera abrazarle.

Le expliqué que si todavía percibía erróneamente que su padre le había hecho algo que necesitaba perdonarle, no estaba verdaderamente libre de sí mismo ni de él. Acto seguido le pregunté si deseaba ser verdaderamente libre, no sólo de cabeza sino de corazón. Me dijo que pensaba que ya lo estaba, pero que estaría dispuesto a ver si podía serlo más. Entonces le hablé del *Collapse Process* y él comenzó a trabajar en ello. A mitad del proceso le pregunté si estaba empezando a ver la diferencia entre el perdón y el verdadero estado de amor incondicional. Me dijo que le había sorprendido sobremanera descubrir que muchas de las cosas por las que estaba enfadado con su padre él se las había hecho a otras personas. También le sorprendía descubrir algunas de las cosas muy «buenas» que surgían de lo que le parecían malos actos.

Continuó el *Collapse Process* y finalmente equilibró los aspectos buenos y malos de sus experiencias. Su corazón se llenó de amor y comenzó a llorar lágrimas de gratitud e inspiración. Le pregunté si había alguien en la sala que le recordara a su padre. Él asintió y miró al anciano que estaba a su derecha. Entonces le dije si le gustaría decirle a ese hombre lo que le habría dicho a su padre si estuviera presente. El anciano se volvió hacia él y David se le acercó, para abrazarle. Con el rostro bañado en lágrimas logró darle las «gracias». Le agradeció todas las cosas que aprendió en su infancia y juventud, y todas las fuerzas que le había dado simplemente por ser su padre.

Acto seguido, le pregunté si todavía pensaba que había «maldad» o errores en la forma como habían ocurrido las cosas.

—Por primera vez en mi vida —dijo sonriendo—, sé que todo lo ocurrido fue perfecto. Gracias.

Hay un mundo de diferencia entre el llamado perdón, con los juicios que lo acompañan, y la gratitud sincera que libera el amor incondicional.

Nada se puede crear ni destruir

Si quieres hacer un pastel de manzana a partir de la nada, primero has de inventar el Universo.

Carl Sagan

- Todo trocito de materia que ha existido continúa existiendo.
- La materia ni se crea ni se destruye; sólo se transforma.
- La muerte es la palanca de la vida.
- No se puede erigir algo sin derribar algo; no se puede derribar algo sin erigir algo.

Creemos que somos nosotros quienes creamos y destruimos las cosas, pero en realidad sólo podemos manipular o cambiar la forma de la materia que ya existe. Cuando manipulamos la materia, es imposible construir sin derribar o derribar sin construir. Cuando sembramos una huerta «construimos» un cultivo. Este cultivo se puede enterrar deliberadamente al arar, y aun así, hacerse el campo igualmente fértil. No hemos creado ni destruido nada; lo único que hemos hecho es transformar una forma de energía y materia en otra.

Una vez hablé con una niña llamada Marsha después de que su padre enterrara a su perro Rusty, al que había atropellado un coche. Sin dejar de llorar, y con el collar en las manos, me dijo:

—No lloro por la muerte de Rusty. Sé que sólo hemos enterrado su cuerpo. El verdadero Rusty no puede morir nunca.

—Eres muy sabia, Marsha —le dije dándole un abrazo.

Ella me miró sonriente, todavía le rodaban las lágrimas por las mejillas.

—Pero, ¿por qué me siento tan mal, doctor Demartini?

Mientras paseábamos por el jardín comenzamos a hablar de cómo se ayudan entre sí las flores, las abejas, las mariposas y los pájaros. Todos están en armonía entre sí. Entonces le pregunté cómo era el jardín durante los crudos meses de invierno.

—Horrible. Pura tierra con algunas malas hierbas que asoman de vez en cuando.

Le expliqué que eso que parece «pura tierra» era lo que hacía volver a crecer las flores en primavera.

—Las flores dejan caer sus semillas en otoño, y sus hojas, tallos y pétalos forman fertilizante nutritivo para las semillas. Las semillas esperan con mucha paciencia en el suelo y en primavera germinan y se convierten de nuevo en hermosas flores.

—Sí, lo entiendo. ¿Quiere decir como el ciclo de la vida que se ve en *El Rey León*? —Frunció el ceño y añadió—: Pero los huesos de Rusty no se van a convertir en otro Rusty.

Nos sentamos en un banco y le expliqué que las partes físicas del cuerpo de Rusty iban a alimentar una nueva vida de otra forma, pero que no podían convertirse en otro Rusty.

—Porque la verdadera parte de Rusty que tú conoces no está muerta. Va a estar viva en tu corazón mientras tú lo ames.

—Entonces estará siempre vivo —dijo asintiendo con la cabeza—, porque yo lo voy a amar siempre.

La verdad es...

El ingenuo uso de los conceptos «correcto» o «equivocado» es uno de
los principales obstáculos para el progreso del entendimiento.

Alfred North Whitehead

- El Universo está gobernado por las leyes del equilibrio perfecto.
- El estado de amor incondicional trasciende la culpa y trasciende el perdón.
- Amar a los demás con toda la mente, todo el corazón y toda el alma es amar por puro amor.
- El Universo no comete errores.

Reflexiones

La vida y la muerte son una, así como el río y el mar son uno.

Kahlil Gibran

1. Recuerda el último acontecimiento, o la última persona o cosa que juzgaste totalmente negativo o negativa y dedica un momento a ver el otro lado de la ilusión.
2. Recuerda a una persona a la que juraste no perdonar jamás y considera la posibilidad de amarla.
3. Piensa en algo o alguien que te imaginaste que ya no existía y busca dónde o cómo existe ahora de otra forma.
4. Cierra los ojos y permítete recordar que eres uno/a con todo lo que existe.

Realizaciones

Si Dios está por nosotros, ¿quién está contra nosotros?

Romanos 8: 31

1. En una hoja de papel escribe las iniciales de una persona por la que sientas rabia o cualquier otra emoción negativa.
2. Ahora escribe quince cosas de esa persona que consideres malas o equivocadas. Y después una ocasión en la que hayas hecho el equivalente de cada una de esas cosas a otra persona. Por último, escribe una forma en que cada una de esas cosas que percibes negativamente haya sido un beneficio o un bien.
3. Escríbele una carta a esa persona expresándole sincera gratitud por su perfección dentro del Universo.
4. Pídele a tu corazón cualquier mensaje de amor.

Afirmaciones

• Siento gratitud por el designio magnífico y magistral.
• Sé que hay un equilibrio perfecto, aunque no lo vea.
• Todas las personas y todos los acontecimientos me ofrecen la oportunidad de aprender otra lección de amor incondicional.
• Cuando echo de menos a alguien abro mi corazón y recuerdo que todavía está aquí y que simplemente ha cambiado de forma.
• He sanado y mi corazón está abierto y receptivo.

24

Nuestro corazón y nuestra alma tienen la sabiduría de los siglos

Todo aprendizaje es recuerdo.

Platón

¿Estamos conectados con el designio universal?

Los sistemas de comunicación y los avances tecnológicos mundiales nos proporcionan un moderno acceso a un mundo de información jamás soñado. Todo el mundo habla de Internet y de correo electrónico. Si bien estos sistemas son invenciones e innovaciones maravillosas, no pueden igualar las capacidades del alma y del corazón para conectar con el conocimiento universal ni con la sabiduría de los siglos.

El corazón y el alma son nuestra verdadera esencia interior. Son nuestra conexión con el origen de quienes somos. Nuestro corazón abierto no ve los límites ilusorios que ven nuestros ojos humanos entre las personas y las demás cosas. Nuestra alma es una con todo lo que ha evolucionado, con toda la creación. Nuestra alma sabe lo que fue, lo que es y lo que será en el curso de nuestro viaje.

Cuando estamos verdaderamente agradecidos, tenemos la mente serena y el corazón abierto. Podemos oír los mensajes de amor y orientación que nos envía el alma. Es digna de atención esta voz interior, sobre todo la voz que nos habla cuando nos encontramos en un estado de inspiración profunda. Parte de la sabiduría es escuchar la voz del alma y obedecer lo que nos dice. Cuanto mejor acallamos el parloteo de las voces de nuestros fragmentos mentales, con más claridad oímos la voz verdadera del alma. Todos tenemos la capacidad innata de escuchar a nuestra alma y de seguir sus inspiraciones, pero muy pocos elegimos seguir en serio ese camino iluminador. Por eso generalmente, las verdades superiores las comprenden unos pocos, no la mayoría.

Recuerdo muy bien el día, hace unos doce años, en que durante una meditación mi voz interior me reveló un mensaje que de inmediato me hizo llorar de inspiración. Me dijo que iba a construir una escuela. De hecho, esa voz pronunció incluso el nombre de la escuela, Concourse of Wisdom [Confluencia de Sabiduría]. Por esa época aún me faltaba formalizar el *Collapse Process* y mis técnicas didácticas estaban en mantillas. Pero la inspiración y la voz fueron tan fuertes que las seguí y comencé a dar cursos sobre los dos temas que mejor conocía: el amor incondicional y la curación.

Al cabo de unos años construí los cimientos filosóficos de Confluencia de Sabiduría, perfeccioné el *Collapse Process* y decidí que estaba preparado para comenzar a enseñarlo como parte de la Experiencia Descubrimiento. Actualmente, la escuela Confluencia de Sabiduría apoya a un cuerpo internacional de alumnos y ofrece numerosos cursos que fusionan las ciencias y las filosofías sobre la salud. Cuando se siguen las inspiraciones del alma, cumplimos la verdadera misión de nuestra vida.

El alma nos habla cuando agradecemos lo que es, tal y como es

Fíate más de las fuerzas intuitivas del interior, no hagas mucho caso de las influencias exteriores, y aprende a escuchar la suave vocecita interior.

Edgar Cayce

- La gratitud verdadera y sincera abre las líneas de comunicación con el alma.
- Las cargas emotivas generan interferencias estáticas en la conexión con el alma.
- Cuando tenemos el corazón abierto y agradecemos la perfección del Universo, nuestra alma suele responder con un mensaje de amor incondicional.
- La gratitud induce la orientación del alma y su verdadero poder sanador: el amor incondicional.

Cuando estamos verdaderamente agradecidos nos hablan el corazón y el alma y nos guían con preguntas, ideas y visiones inspiradas para el futuro. Incluso cuando no estamos agradecidos nos hablan el corazón y el alma, pero no siempre podemos escucharlos si estamos atrapados por las muchas voces y órdenes de nuestros diversos intereses y responsabilidades. Por eso es importante reservarse un tiempo para agradecer. Si te tomas sólo cinco minutos por la mañana y otros cinco por la noche para expresar tu honda gratitud por todos los bienes de tu vida, podrás mantener abiertas las líneas de comunicación con tu corazón y alma.

Me ha sido concedido el privilegio y la oportunidad de oír las inspiraciones de numerosas personas durante y después de esos momentos de verdadera gratitud. Estoy seguro de que podemos conocer la misión y finalidad últimas del alma sólo con ser agradecidos por lo que es, tal y como es. También estoy seguro de que nuestro corazón y alma pueden proporcionarnos la información y la orientación necesarias para mejorar nuestra vida y sanar nuestra mente y cuerpo.

Cuando pienso en el inmenso efecto que tiene la gratitud en las vidas de las personas, suelo recordar a una paciente de quiropráctica que tuve hace muchos años. Janice vino a verme porque se había lesionado la espalda en un accidente de coche. Las primeras cuatro o cinco sesiones de ajuste no paró de quejarse en toda la hora. Yo sabía que su ingratitud le estaba obstaculizando el proceso de curación y supe también que me encantaría ayudarla.

En la siguiente ocasión que vino a verme, y antes de que tuviera tiempo de comenzar a pensar en las cosas que consideraba negativas, le dije que estaba haciendo un experimento y le pregunté si le importaría confeccionar una lista con veinte cosas de las que estuviera agradecida, antes de entrar en la sesión de ajuste. Al cabo de unos diez minutos, entró en la sala de tratamiento con la lista acabada y me la entregó sonriente. Entonces le expliqué que el tratamiento sería más sanador si permanecíamos en silencio y concentrados en los resultados que deseábamos obtener.

Así continuamos durante varias semanas y Janice advirtió una notable mejoría en la flexibilidad de su espalda y en su bienestar general. También me dijo que estaba comenzando a sentir más energía, lo cual ella atribuía al tratamiento de ajuste. Le dije que sí, que los ajustes influían bastante, pero también le expliqué que yo creía que su gratitud estaba acelerando el proceso de recuperación.

Esto le picó la curiosidad y me preguntó qué podría ocurrir si en vez de hacer la lista de veinte cosas que agradecía una vez por semana cuando venía a la sesión de tratamiento la hacía todos los días. Se prometió concentrarse en todas las cosas buenas que había en su vida y en su visión de una espalda sana y fuerte. A las cinco semanas la espalda dejó de estar inflamada y había recuperado totalmente la flexibilidad.

Cuando obedecemos la orientación del alma y del corazón nuestra vida se hace plena

Conciencia: esa chispita de fuego celestial.

George Washington

- Una persona maestra en salud tiene la disciplina de escuchar a su alma y a su corazón.
- Un genio es un hombre o una mujer que escucha y obedece la sabiduría de su alma.
- Lo que más desean el alma y el corazón es realizar su misión de amor sanadora.
- El corazón y el alma sólo expresan amor incondicional.

El corazón y el alma forman nuestro sistema de orientación interior. Cuando somos humildes con la gratitud, aprovechamos sus orientaciones y comenzamos a realizar la misión de nuestra vida. Si bien esto podría parecer misterioso, en realidad es muy sencillo. Es sólo cuestión de permitir que la energía y claridad del amor incondicional circulen por nosotros en lugar de bloquearla con emociones desequilibradas y ruido cerebral.

Hace varios años conocí a un escultor inspirado. Jason se sintió llamado a crear obras maestras. Tenía 27 años cuando lo conocí. Desde que terminó sus estudios secundarios hasta los 22 años había trabajado en un taller y aparcamiento de coches. En sus días libres visitaba todos los museos, galerías de arte y exposiciones que podía dependiendo del dinero y del tiempo que tuviera.

—Un día estaba admirando una preciosa escultura de un delfín. Comencé a imaginarme que mis manos lo habían esculpido y tuve una visión muy clara de mi talento, por lo que me sentí llamado a dedicarme a ese arte.

Después de ese día quedó convencido de que sería capaz de crear esculturas que la gente admiraría y valoraría tanto como él había admirado aquel delfín.

Comenzó a asistir a clase en una escuela de arte que había cerca de su casa. Le encantaba la sensación que le producía modelar el barro y le gustaba crear todo lo que se podía imaginar. Cuanto más practicaba más se desarrollaba su talento y a los tres años de ese día en que tuvo su visión de esculpir, exhibieron por primera vez sus esculturas en una galería de arte.

—Agradezco muchísimo haber seguido la inspiración que tuve ese día en el museo —dice—. Después de eso supe lo que me gustaba hacer y que de algún modo podría hacerlo. Lo creí, lo vi y ocurrió.

La verdad es...

Mientras no sabemos que la vida es inspiradora y la vemos así, no descubrimos el mensaje de nuestra alma.

Anónimo

- Cuando agradecemos lo que es, tal y como es, abrimos el corazón a la sabiduría del alma.
- Nuestra alma es una con todo lo que existe.
- Nuestra alma es nuestra esencia verdadera y duradera.
- Cuando obedecemos a la sabiduría de nuestro corazón y alma realizamos la misión de nuestra vida.

Reflexiones

Lo de polvo eres y en polvo te convertirás no se dijo del alma.

Henry Wadsworth Longfellow

1. Cierra los ojos y piensa en todas las cosas de tu vida por las que sientes verdadera gratitud.
2. Agradécete por reconocer esos maravillosos bienes.
3. Agradece su amor a tu corazón y alma y pon atención a un mensaje inspirado.
4. Escribe una nota de agradecimiento a una persona que quieras.

Realizaciones

Y ¿qué aprovecha al hombre ganar el mundo entero si pierde su alma?

Mateo 16:26

1. Piensa en una situación o trastorno de salud para la cual desearías tener orientación de tu corazón y alma. Escríbela en una hoja de papel.
2. Ahora escribe diez ventajas de la situación o trastorno, diez modos en que te haya servido o beneficiado.
3. Agradece a tu corazón y alma los beneficios de tu situación o enfermedad. Continúa dando las gracias hasta que los ojos se te llenen de lágrimas.
4. Pide orientación a tu corazón y alma y escribe tu mensaje inspirado.

Afirmaciones

- Soy disciplinado/a para obedecer a mi corazón y alma sanadores.
- Obedezco con gratitud la amorosa orientación de mi corazón y alma.
- Abro mi corazón a la sabiduría de los siglos.
- Soy una copa llena de amor y gratitud.
- Agradezco la orientación sanadora de mi corazón y alma y la aplico a mi vida cotidiana.

25

El amor incondicional es la llave del corazón y del alma

El amor no da nada fuera de sí mismo ni toma nada fuera de sí mismo. El amor no posee ni es poseído. Porque el amor es suficiente en el amor.

Kahlil Gibran

¿Queremos escuchar a nuestro corazón?

Muchas personas desean más que nada en el mundo experimentar un franco estado de amor incondicional, no sólo por los demás sino por ellas mismas. Pero hay una enorme diferencia entre el amor incondicional y esa emoción apasionada llamada enamoramiento, chaladura o chifladura que muchos llaman amor y que experimentan con frecuencia. El amor incondicional no es simplemente una pasión o una emoción positiva, sino una fusión completa de todas las emociones, las positivas y las negativas. Nos lleva a un estado de inspiración. Ocurre cuando entramos en el momento presente y nos despiertan las visiones y mensajes del corazón y del alma. Es la conexión con ese sentimiento de vida eterna y con nuestra guía para reconocer el magnífico Universo.

El amor incondicional es la mayor energía que existe. No tiene fronteras, limitaciones ni oposición. Es el Alfa y el Omega, el principio y el fin. Nos abarca a todos y a todo por igual. Ni positivo ni negativo, es energía y luz que nace cuando las cargas emotivas positivas y negativas están en perfecto equilibrio.

La comprensión de la profundidad de esta fuerza fue lo que me inspiró a idear el *Collapse Process*, la ciencia que equilibra paso a paso los positivos y los negativos y lleva a las personas a un estado de gratitud en que sus corazones se abren y experimentan la intensidad y poder del amor incondicional. Los ejercicios de este libro están pensados para ayudarte a equilibrar tus percepciones y cargas emotivas de modo que puedas experimentar la sabiduría y curación sagrada que ofrece en todo momento el amor incondicional.

Gracias al *Collapse Process* he tenido la feliz oportunidad de experimentar el sorprendente poder del amor incondicional muchas veces en mi vida. Mi mayor satisfacción nace de pasar esta antorcha a otras personas y, a cambio, tener la dicha de poder experimentar más amor incondicional en mi propia vida. Todos tenemos la capacidad de llegar a este estado de apertura del corazón y el deseo interior que nos impulsa a buscar esta verdad.

Recuerdo una de las primeras veces que ofrecí el *Collapse Process* durante la Experiencia Descubrimiento. Doce participantes se sentaron alrededor de una mesa de conferencias, cada uno de ellos se presentó y habló un poco de sí mismo. Cuando le tocó el turno a la última persona, Mark, que estaba sentado a mi izquierda, dijo:

—Estoy aquí porque odio a mi madre, me odio a mí mismo y toda mi vida ha sido de odio; lo único que deseo es ser amado.

Dicho esto se echó a llorar, y no fueron sólo unas pocas lágrimas sino sollozos desgarrados por la emoción.

Le pregunté si le gustaría contarnos su historia, y de modo muy objetivo comenzó a relatarnos los detalles de su vida.

Pues bien, cuando nací mi madre me arrojó en el cubo de basura de un hospital. Lloré tanto y tan fuerte que las enfermeras me encontraron. Después de estar unas semanas en el hospital, alguien decidió que mi madre tenía que hacerse cargo de mí así que me devolvieron a ella, aunque dijo bien claro que no me quería.

Contó que durante los diez años siguientes experimentó lo que él consideraba repetidos malos tratos por parte de su madre. Estuvo yendo y viniendo de la casa materna a los hogares adoptivos, los hospitales y finalmente al centro de detención juvenil. Ella trataba de ahogarlo, lo quemaba con cigarrillos, lo encerraba en el armario de su cuarto y jamás lo abrazaba ni le decía que lo amaba. De hecho, le decía que lo odiaba y que él le había arruinado la vida.

Cuando acabó de contar su historia se hizo un cargado silencio en la sala. Le agradecí que hubiera estado dispuesto a explicar ante los demás su historia y le dije con certeza que antes de que acabara el programa experimentaría el amor incondicional que tanto anhelaba y le agradecería a su madre el haber contribuido a su vida. Sé que en ese momento no me creyó, pero aun así se quedó y cuando más tarde comenzamos el *Collapse Process* él parecía ser el más deseoso de empezar. En menos de dos horas llenó cinco páginas con las cosas negativas que percibía en su madre. Cuando le expliqué que el paso siguiente era encontrar una cosa positiva por cada una de las negativas, me tildó de iluso y amenazó con marcharse del programa, pero decidió quedarse y continuar hasta el final.

Cuando unas horas después miré las páginas Colapso de Mark vi que había escrito casi tantos positivos como negativos, y que sólo le faltaban unos veinte para equilibrar las columnas. Le pregunté qué estaba descubriendo acerca de sí mismo.

—Tengo que decir que esto es lo más difícil que he hecho en mi vida. No creía que hubiera ni una sola cosa buena en mi madre, y sin embargo en estas últimas horas me han venido a la cabeza algunos recuerdos fabulosos, unas cuantas veces incluso me he reído a carcajadas de las cosas divertidas que solía decir.

Me di cuenta de que Mark estaba comenzando a equilibrar un poco sus percepciones, aunque sabía que albergaba muchísima rabia contra su madre, y que eso bloqueaba el amor incondicional.

Cuando equilibró sus columnas de negativos y positivos percibidos, le pedí que repasara su lista de negativos y buscara tres ejemplos en su vida de ocasiones en que él le hubiera hecho lo mismo que su madre le había hecho a él a otra persona. Le expliqué que debía buscar en los siete aspectos de su vida (físico, mental, económico, espiritual, familiar, social y vocacional) para encontrar esos ejemplos. Una hora después, más o menos, de estar sumido en ese proceso, me dijo que en la lista de cosas que había hecho su madre aparecían unas cuantas que él nunca haría. Le pedí que me mencionara una.

—Pues tirar a mi propio hijo a la basura.

Le pregunté cómo se sentía cuando se imaginaba a su madre haciéndolo. Pues furioso y rechazado, me contestó. Entonces le dije que reflexionara sobre un momento en que hubiera hecho sentirse así a otra persona. Aunque me aseguró que nunca, cuando buscamos este ejemplo en otros aspectos de su vida, habló de una mujer llamada Mariel con la que hacía unos años había estado comprometido para casarse y no se casó. Presentí que ese era el ejemplo que buscábamos y le pregunté por qué no se había casado.

—No lo sé. Era estupenda y yo lo estropeé todo.

—¿De qué forma lo estropeaste?

—Me asusté y rompí el compromiso unas semanas antes de la boda. Mariel me acusó de haberla dejado plantada ante el altar y desde entonces no he vuelto a verla ni a hablar con ella.

—¿Y la querías?

—Sí, y todavía la quiero.

—Así que la querías y la dejaste plantada porque te dio miedo —comenté.

Él asintió.

—¿Y Mariel se sintió furiosa y rechazada como te sentiste tú cuando te enteraste de que tu madre te había tirado a la basura? —le pregunté en voz baja.

—¡Dios mío! —fue lo único que logró decir, con los ojos muy abiertos.

A lo largo del día fueron surgiendo otras cosas que Mark creía no haber hecho nunca. Pero siempre descubría una correlación en algún aspecto de su vida y al final de la jornada logró ver cómo todas las cosas que consideraba negativas le habían servido en cierto modo y obrado como una bendición.

Reconoció que él también había hecho todas esas cosas por las que sentía tanta rabia contra su madre y fue capaz de ver que ella tenía en realidad tantos rasgos positivos como negativos.

Cuando terminó la lista de todos estos factores y hubo creado un equilibrio perfecto en sus cargas emotivas, atravesó más de quince años de emociones y entró en el amor incondicional de su corazón abierto. Dio las gracias por su vida y todas las personas allí presentes comenzamos a derramar con él lágrimas de inspiración y gratitud, ya que sentimos el poder del amor incondicional que circulaba por su persona. Cuando dijo «Gracias a Dios por mi madre», a la que sólo unas horas antes odiaba, estaba resplandeciente.

La gratitud abre el corazón

Amar y ser amado es sentir el sol por los dos lados.

David Viscott

- Las cargas emotivas y las percepciones sesgadas generan ingratitud.
- El corazón sólo se puede abrir en el ápice central del tic tac de la vida emocional.
- Cuanto más agradecemos más se nos abre el corazón.
- En la medida en que tenemos el corazón abierto no tenemos limitaciones ni fronteras.

Muchas personas entienden que el amor incondicional emana de un corazón abierto, pero pocas tienen la suficiente gratitud para abrir instantáneamente el corazón siempre que lo desean. De hecho, para la mayoría de las personas esos momentos de apertura probablemente se producen como por arte de magia cuando experimentan una fuerte oleada de gratitud. Algunos de los momentos de gratitud que inducen a abrirse el corazón son el nacimiento de un bebé, abrazar a un ser querido que ha vuelto a casa sano y salvo, salir ileso de un accidente o escapar de la transición llamada muerte, que se considera como una casi pérdida, y experimentar nueva vitalidad después de lograr una curación.

Pero no es necesario esperar que se produzcan esos momentos. Podemos crearlos pensando en todo lo bueno que tenemos, en la magnificencia de este espectacular Universo y en la maravilla de la vida misma. La gratitud atrae más gratitud, así como la ingratitud atrae más ingratitud. Es decir, cuanto más atención prestamos a lo bueno que tenemos, más cosas buenas tenemos en qué pensar y más gratitud sentimos.

Hace poco recibí la carta de una mujer que aprendió a abrir su corazón con gratitud después de asistir a la Experiencia Descubrimiento. Se trata sólo de una de las muchas cartas que me envían explicándome el valor de concentrarse en la gratitud y abrir el corazón.

Querido doctor Demartini:

Desde que aprendí el Colapso mis percepciones han pasado poco a poco a una maravillosa comprensión. Cuando terminé el primer Colapso no tenía idea de la transformación que se iba a producir en mí. Por primera vez logré entender y definir de verdad el amor incondicional. Ahora sé que el amor incondicional es abrazar a cada persona, personaje y acontecimiento con aceptación, compasión y el conocimiento de que están aquí para mí, para ayudarme a realizar mi finalidad última. No existen los errores.

Transformar las percepciones haciendo el Colapso

es trascender el tiempo y el espacio. Trabajando el Colapso en relaciones pasadas y actuales he logrado crear el amor y comprensión más profundos que he tenido en mi vida. Mi amor por estas personas y acontecimientos de mi vida ha aumentado enormemente. Pero lo más sorprendente es la reverencia, la humildad y el amor que he encontrado por Dios y el Universo.

Desde que empecé a digerir estas transformaciones y a experimentar la apertura de mi corazón, he comenzado a entender que mi vida tiene una finalidad sublime, y que el amor que tengo por mí, por los demás y por Dios cambiará mi vida para siempre. Gracias a usted y al Universo por este maravilloso vehículo de transformación, porque ahora todos podemos ser verdaderamente responsables de crear el amor incondicional en nuestra vida.

Cariños
Luanne

El amor incondicional es la mayor energía del Universo

El amor lo vence todo.

Virgilio

- El amor incondicional nos trae a la presencia a cualquier persona amada.
- El amor incondicional es la respuesta a todas las grandes preguntas.
- El amor incondicional disuelve las cargas emotivas que generan la enfermedad y el malestar.
- El amor incondicional sana.

El amor incondicional nos lleva más allá de las ilusiones del espacio y el tiempo y nos sirve para traer a nuestra presencia a cualquier ser amado. Eso no quiere decir que aparezca físicamente la persona sino que el amor incondicional fluye entre uno y otro y conecta nuestros corazones y almas.

El amor incondicional no se limita a las fronteras de tiempo y espacio en que habita el cuerpo. Es un estado de alerta e iluminación que hace surgir las respuestas a todas las preguntas. Es el motivo de que estemos aquí en forma física. Estamos aquí para aprender el amor incondicional y podemos aprenderlo en medio de la dicha o de la manera difícil y larga. Sea como sea, de uno u otro modo lo aprenderemos porque nuestra evolución de vuelta a la fuente misma de la vida es inevitable.

El amor incondicional es la ley fundamental y la fuerza más poderosa del Universo. Es nuestra conexión con toda verdadera curación y nuestro vínculo con lo infinito. Es nuestra misión, nuestra finalidad y nuestra escalera hasta las estrellas.

Cuando era joven me pasaba horas mirando las estrellas, preguntándome por qué estaba aquí y qué significaba todo. Me fascinaba el funcionamiento del Universo y estaba convencido de que existía una forma de magia que podía vencer cualquier cosa. En esa época de mi vida buscaba fuerzas mágicas en el mundo que me rodeaba. Hoy sé que la fuerza mágica suprema, la del amor incondicional, está dentro de mí, dentro de ti, dentro de todas las personas y dentro de todo lo que existe.

La verdad es...

Todos estamos juntos en esto, solos.

Lily Tomlin

- Somos uno con todos y con todo lo que existe.
- Cuando estamos verdaderamente agradecidos trascendemos las ilusiones del espacio y el tiempo y nos elevamos con el alma y el corazón.
- El amor incondicional es la verdad del corazón, que gobierna mediante toda ciencia y religión verdaderas.
- El amor incondicional lo conoce todo, lo sana todo y lo puede todo.

Reflexiones

Los sabios desean amor, y los que aman desean sabiduría.

Percy Bysshe Shelley

1. Recuerda un momento en que tu corazón estuviera abierto y sintieras la fuerza del amor incondicional.
2. Cierra los ojos y revive lentamente ese momento, con todos los detalles que puedas recordar.
3. Revisa las sensaciones físicas, mentales y espirituales que experimentaste mientras tenías el corazón abierto y también después.
4. Levántate y deja colgar los brazos relajados a los lados. Echa un poco hacia atrás la cabeza y mira el cielo o el techo. Cierra los ojos poco a poco y una vez silenciado tu

interior, comienza a sentir gratitud por la experiencia de apertura del corazón que acabas de recordar.

Agradece a todas las personas que te han ayudado a ser quien eres hoy. Continúa ese agradecimiento hasta que se te abra el corazón y te sientas en un estado de amor incondicional. Después, en silencio, escucha las voces y orientación interiores de tu alma y corazón.

Realizaciones

No estéis en deuda con nadie, a no ser en amaros los unos a los otros, porque quien ama a su prójimo ha cumplido la Ley.

Romanos 13:8

1. Escribe las iniciales de una persona por la que te gustaría sentir más amor.
2. Haz la lista de todas las características de esa persona que consideres negativas y de todas las que consideres positivas. Una vez que tengas el mismo número de positivos que de negativos, continúa con el paso siguiente.
3. Por cada rasgo negativo y cada rasgo positivo que hayas escrito, escribe al menos un ejemplo de una ocasión en la que hayas hecho eso mismo o exhibido la misma característica.
4. Escríbele una carta de agradecimiento a esa persona y continúa dándole las gracias hasta que se abra tu corazón, experimentes lágrimas de inspiración y sientas la fuerza del amor incondicional.

Afirmaciones

- Soy uno/a con todo y con todas las personas que existen.
- Agradezco lo que es, tal y como es.
- Abro mi corazón al poder sanador del amor incondicional.
- Me elevo con el corazón y el alma en alas del amor.
- Estoy sanado/a.

Conclusión

La emoción más hermosa y más profunda que podemos experimentar
es la sensación de lo místico. Es el legado de toda ciencia verdadera.
Aquel al que su emoción le es desconocida, que ya no se pregunta ni
está en extática reverencia, vale tanto como si estuviera muerto.
Tener el conocimiento y el sentimiento de que lo que es impenetrable
para nosotros realmente existe, que se manifiesta en la suprema
sabiduría y en la más radiante belleza que nuestras torpes facultades
sólo pueden comprender en sus formas más primitivas, está en el
centro de toda verdadera religiosidad.

Albert Einstein

Te deseo que estés extasiado de reverencia ante la
perfección y magnificencia de este Universo.

Que escuches la sabiduría de tu corazón y alma y la
obedezcas.

Que experimentes las bendiciones y el poder sanador
de la fuerza mayor de todas: el amor incondicional.

Que seas agradecido y sanes.

Gracias.

◆ ◆ ◆

Dr. John F. Demartini

Fuentes de las citas

Con objeto de proteger la intimidad de los clientes del doctor Demartini, se han cambiado algunos de los nombres de las personas que protagonizan las historias narradas en este libro.

El autor agradece a los editores el amable permiso para copiar material de los siguientes libros:

Brian Adams, *How to Succeed*, Wilshire Book, North Hollywood (California), 1985.

Robert Fitzhenry y Anthony Barker, *The Book of Quotations*, Allen and Unwin, New South Wales (Australia), 1994.

Kahlil Gibran, *The Prophet*. Copyright © 1923 by Kahlil Gibran; renovado en 1951 por Administrators CTA de Kahlil Gibran Estate y Mary C. Gibran.

Allen Klein, *Quotations to Cheer You Up When the World is Getting You Down*, Sterling, Nueva York, 1991.

Kent Nerburn y Louise Menglekoch (eds.), *Native American Wisdom*, New World Library, San Rafael (California), 1991.

William Poole, *The Heart of Healing*, Turner Publishing, Atlanta, 1993.

Se han hecho todos los esfuerzos posibles para darles las gracias como corresponde a los autores y editores, aunque algunas fuentes no han sido localizadas.

El Dr. John F. Demartini

Muy de tarde en tarde aparece una persona inspirada que atraviesa los límites tradicionales de la forma de pensar y da a luz un nuevo modelo de filosofía y transformación personal.

El doctor John F. Demartini es un hombre excepcional, que ha vivido infinidad de experiencias y cuyos estudios abarcan extensos campos de conocimiento, filosofía y curación; su visión está claramente en la vanguardia de su tiempo.

Como orador ofrece a sus oyentes iluminadoras perspectivas, observaciones sobre la naturaleza humana cargadas de humor y atinados consejos prácticos. Cuando habla, abre los corazones, inspira las mentes e incita a actuar. Sus programas de éxito personal están llenos de profunda sabiduría. Su revolucionaria comprensión del poder del amor incondicional está dando nueva forma a la psicología tal y como la conocemos y transformando la vida de millones de personas.

◆ ◆ ◆

Para más información sobre el doctor Demartini, sus programas de éxito personal y el *Collapse Process*, llamar por favor al 1-888-Demartini (Estados Unidos).

Agradecimientos

Gracias a mi hermosa esposa Athena por su paciencia, inspiración y amor.

Gracias a uno de mis primeros maestros el doctor Paul Bragg, que me animó a escuchar los susurros interiores de mi corazón y alma y a obedecerlos.

Gracias a mi encargada de publicidad Annie Jennings, por creer en mi mensaje de gratitud y amor, y por ayudarme a comunicarlo a los demás.

Gracias a mi editora Toni Robino, por sus inspiraciones creativas, su comprension de los principios universales y su amor por la filosofía que presenta este libro.